BEST MANAGEMENT LEVERAGING INTELLECTUAL PROPERTY

戦略コンサルが知らない

最強の知財経営

林 力一
東京知財経営コンサルティング
代表弁理士

渋谷高弘
日本経済新聞社
編集委員

日本経済新聞出版

はじめに

「最強の知財戦略」を実現するのは、知財部門ではない

特許をはじめとする「知的財産」が重要だと言われて久しい。発明家や技術畑の人々はもちろん、一般ビジネスパーソンまで含めて「知財は大事だ」「知財戦略をどうする」と言い始めたのは、そう、1980年代の後半だろう。1985年のプラザ合意で日本が輸出立国からの転換を迫られた時期だ。

第2次世界大戦後の日本は基本的に、欧米諸国から新しい技術を学んで模倣し、真面目でコストの安い労働力で同等以上の製品を作り、低価格で怒濤のごとく輸出して成功した。その結果、諸外国、特に米国の企業が日本を目の敵にして、日本の電機メーカーを「米国企業の知財を侵害している」などと訴えたり、日本のビジネスパーソンを「産業スパイ」として捕まえたりしたのが1980年代後半だった。日本の官民でも「米国が知財を使って日本を脅かし始めた。日本企業も知財戦略を磨かなければならない」という問題意識が高まったのだった。

しかし1990年代前半から2020年代前半の今日までの30年、日本で唱えられてきた「知財戦略」とは、はっきり言ってしまえば、視野の狭い対策にとどまっていた。具体的には

前半の２０００年代半ばまでは「いかにたくさんの特許を取得するか」ということが議論の中心であり、後半の２０２０年代前半までは「いかに質の良い（強い）特許を取得するか」ということが議論の中心だった。この２つの議論は、依然として現在でも克服すべき知財戦略の焦点の「ひとつ」ではある。この内容なら、日本企業においては特許を出願・権利化・管理する知的財産部門の中で対応できるテーマといえる。

しかし上記の2つの知財対策だけで日本企業を再興できるだろうか？　できるとすれば、欧米が先進国としてビジネスを創り上げ、日本はそれを追って同じビジネスで競う場合だけだろう。日本が輸出立国として大成功した1９６０~１９８０年代の経済秩序が、まさにそうだった。２０２０年代半ばの今は、米国は中国という新たな経済パワーと先端技術を巡って激しく競い、欧州諸国はＳＤＧｓ（持続可能な開発計画）や環境・人権といった価値観と両立するビジネスを世界の企業に要求している。さらにインドやアジア、アフリカなどの「グローバルサウス」各国の経済力が、世界の中心になっていく時代を迎えている。経済安全保障も重大なテーマだ。

日本企業が必要とする「最強の知財戦略」の対象は、特許などの「知的財産権」にとどまらない。自社の知財・無形資産（技術、ノウハウ、人的資源、取引先とのネットワークなどを含む）を会社が自覚し、それらを駆使して、世界の有力企業に先んじて新たなビジネスモデルを生み出したり、ライバル企業よりも高い価格設定で製品を売ることができるブランド力を築き上げたりすることだ。

つまり「最強の知財戦略」とは、「最強のビジネスを生み出す戦略」なのだ。だから「最強の知財戦略」を実現するのは知財部門ではない（野心的な知財部門が、他部門を巻き込んでいくことは望ましい）。「最強の知財戦略」には経営層や経営企画部門、ビジネスを担う各事業部門の担当者など、まさに全社で取り組む必要がある。

「攻めのオープンな知財戦略」を

30年で日本企業の世界における立ち位置は、大きく変化した。かつて「科学・技術立国」として世界を牽引した日本のハイテク産業は、凋落（ちょうらく）が著しい。技術の強みが企業の持続的成長に直結しなくなってきている。顧客が求める価値も多様になった。IT（情報技術）の進歩によって産業の垣根がなくなり、相互融合（コンバージェンス）が進む不確実性の時代となった。将来の社会・産業のあり方を見据えた事業構想、共存共栄のエコシステム、それらを実現するためのイノベーションの創出が重要となっている。

これまでの知財戦略は、従来からの事業やR＆D（研究開発）の成果に対して、どう強い知財を取得するのか、ライバルと知財紛争を抱えるリスクをどう低減するのか、といういわば「R＆Dの後工程」だった。しかし、今は企業の成長戦略を築くためのオープンイノベーションが欠かせない。オープンイノベーションの戦略・事業構想づくりに知財をどう生かすかという戦略が重要となった。今や知財戦略は研究開発ありきの「縁の下の力持ち」ではなく、企業の成長構想や事業戦略を描くための「成長戦略の前工程」という極めて全社的な取り組みへと重要性、格が上がったのだ。このような変化の中、本書が日本の再興に向けた「最強の知財戦略」として提唱するのが、「攻めのオープンな知財戦略」だ。

「攻めのオープンな知財戦略」は、今までの知財の使い方として一般的だった「守りのクローズな知財戦略」とは逆に、競争を促進させて事業効率化を図る。結果的に、今までの商品・サービスのライフサイクルよりも極めて短期間に顧客にとっての魅力を高めることができ、かつ、競合他社の収益源であった商品・サービスを従来のライフサイクルよりも短期間にコモディティ化（一般化）させて、収益性と市場シェアを極めて短期間に奪うことができる。

だからライバルが「成長戦略の前工程」において他社と提携して「攻めのオープンな知財戦略」を融合させると、自社は極めて短期間に収益性と市場シェアが奪われ、悪夢のように瞬時に事業を破壊されてしまうことになる。

逆に、自社が「成長戦略の前工程」における他社との提携で「攻めのオープンな知財戦略」を融合させることができれば、極めて短期間に他社から収益性と市場シェアを奪うことが可能となる。このため、本書では「最強の知財戦略」と提唱しているのである。

本書の構成

本書の章立ては、知財について詳しくない一般の読者の方にも分かりやすいように、考えて執筆したつもりである。

まず第1部は、発明や知財の歴史を振り返り、読者の方々に日本企業の知財戦略の「現在地点」を理解していただくために書かれている。2002年に当時の小泉純一郎政権は「知財立国」を掲げ、多数の知財振興策を講じた。それらははたして功を奏したのか。現在の日本は、「知財で勝っているのか」、それとも「知財で負けているのか」を、はっきりと描き出す。そしてあなたの会社において知財戦略だと考えられていることの「何がダメなのか」も指摘させていただく。本書が提唱する最強の知財戦略である「攻めのオープンな知財戦略」とは何か、についても簡単に紹介する。

続く第2部では、本書が最強の知財戦略と位置づける「攻めのオープンな知財戦略」を詳しく説明する。本書の肝といっていい部分である。「攻めのオープンな知財戦略」は従来の知財戦略とはどう異なり、なぜ「最強の知財戦略」といえるのかを解説する。前述したように、最強の知財戦略とは「最強のビジネスを生み出す戦略」だ。だから「攻めのオープンな知財戦略」はグローバルで成功している企業のビジネス戦略と密接に関係している。このことを国内外の具体的なケーススタディにひき付けながら、詳しく紹介していく。加えて経営者やビジネス関係者が最も関心をもつであろう、「攻めのオープンな知財戦略」の具体的な策定のアプローチを紹介する。「攻めのオープンな知財戦略」を、あなたの会社の事業計画に落とし込むためのアクションプランの策定についても触れる。

第3部は、いったん知財戦略の世界から少し引き、現在の日本企業の置かれた状況をマクロな経済の視線で眺めている。今、あなたやあなたの会社が、最強の知財戦略である「攻めのオープンな知財戦略」を学び、実践する本当の意義について考える章である。この章を設けた理由は、世界は今、１００年に一度といってよい政治、経済、ビジネスにおける大変革期にあるからだ。特に米国と中国という新たな超大国が政治、外交、経済、ビジネス、そして軍事においてしのぎを削る「新冷戦」に入ったことが、日本の経済・産業にどんな変化をもたらすのか、ということである。一言でいえば、それは日本にとって「起死回生の大チャンス」なのだ。だからこそ「攻めのオープンな知財戦略」を学ぶべきだと強調している。

こうした「攻めのオープンな知財戦略」は、一般の経営企画部門や戦略コンサルタントでは、なかなか指摘しづらい視点でもある。本書は知財戦略の現場と経営戦略の現場の両者で実務に携わってきた林と、知財と経営の関わりについて長年追いかけてきたジャーナリストの渋谷という組み合わせだからこそ踏み込んで書ける内容だ、という自負もあり、書名に「戦略コンサルが知らない」とやや刺激的な言葉をつけさせていただいた。

本書は、こうした問題意識をもつ企業関係者、特に経営者、幹部、管理職、事業の担当者らに読んでいただくことを念頭に書かれた。利益を生む日本企業に中長期的に資金を提供したいと考えている機関投資家の方々にも、成長の源泉となる知財のことが分かるように書いたつもりだ。これから企業に就職したり起業したりして、魅力的なビジネスやサービスを立ち上げたいと考えている学生の方々にも参考になるだろう。もちろん経営コンサルタントの方にも、日本企業の「最強の知財戦略」構築のサポートにも役立てていただきたい。決して知財専門家や知財に詳しい一部のエキスパートのための本ではない。

本書の誕生のきっかけは、共著者の林と渋谷の2人が、これまでの視野の狭い知財戦略ではなく、現代の日本企業が置かれた環境の中で、あらゆる階層のビジネスパーソン、特に経営者層に「最強の知財戦略」とは何かという問題意識をもってもらい、日本の再興につなげていただきたいという、強い思いを共有したことだった。そして知財分野の書籍を何度も手掛けてきた経験豊富な編集者である、日経BPの赤木裕介氏の賛同が得られたからだった。赤木氏からは、原稿を書き進める中でタイトルをどうすべきか、読者層をどこに置くのかといった、貴重なご指南をいただいた。

本書に対する「素晴らしい推薦の言葉」を頂いた、日本を代表する知財・無形資産経営の実践企業である古河電気工業の小林敬一会長、東京大学教授で知財分野の大家である渡部俊也先生には、深く感謝を捧げたい。このほか本書の出版に関して、取材先やクライアント先など数え切れない方々の協力をいただいた。この場を借りて、厚く御礼を申し上げたい。誠にありがとうございました。

2024年4月

林力一・渋谷高弘

戦略コンサルが知らない　最強の知財経営　目次

第1部 間違っている！あなたの会社の「知財戦略」

第1章 特許で勝利した30年、知財敗北で転落した30年

第2部　これが本命「攻めのオープンな知財戦略」

第2章 「攻めのオープンな知財戦略」策定のアプローチ

第3部　「新冷戦」は、日本復活に向けた大チャンス

第２章　知財ガバナンス、そして知財安全保障

第1部

間違っている!あなたの会社の「知財戦略」

戦略コンサルが知らない
最強の知財経営

BEST MANAGEMENT LEVERAGING INTELLECTUAL PROPERTY

第1章

特許で勝利した30年、知財敗北で転落した30年

BEST MANAGEMENT LEVERAGING INTELLECTUAL PROPERTY

読者の皆さんは、「知財戦略」という言葉を聞いたとき、どんなイメージを思い浮かべるだろうか。多くの方が、「知財といえば、特許のことだろう。会社で技術を発明したり製品を開発したりしたら、販売する前にきちんと特許を取得して、他社にまねされないように備えなければいけない。これが知財戦略だ」と考えるかもしれない。確かに、これは知財戦略の基礎中の基礎である。しかし、これだけでは戦略としてはまったく足りない。

例えば「知財」には、特許（権）以外にも、商標権、意匠権、著作権などのさまざまな知的財産権が含まれる。こうした知的財産権以外にも、会社の築いた信頼やブランド、製造技術などのノウハウ、ビッグデータ、サプライチェーン（調達網）、契約といった、企業がビジネスを続けていく上での、「知的な財産すべて」が含まれると考えるべきだ。だから近年、政府や企業は知財を「知財・無形資産」と呼び、広い意味でとらえるようになっている。

そもそも知財とは「知的財産（権）」の略称だった。日本では２０００年ごろから、以前の「知的所有権」に変わって、知的財産権の言葉が一般に使われるようになった。ただ、すでに述べたように、「知財＝知的財産権」ではない。知財には、企業がビジネスを続けていく上で必要な「知的な財産」すべてを含めるべきであって、知財権や特許という狭い意味でとらえると失敗する。読者の皆さんにはまず「知財とは、特許だけのことでなく、ビジネスに役立つ知的な財産すべて」と覚えておいてほしい。

発明だけでは、世界制覇はできなかった

その上で、人類の歴史上、いかに発明や知財の仕組みが、個人や国家の栄枯盛衰に影響してきたかを振り返ってみたい。まず読者の皆さんに、いくつか質問をさせて頂く。

質問① 世界3大発明とは何か

世界史で習う3大発明。それは15世紀から16世紀にかけて、ヨーロッパに社会的変革をもたらした、①火薬②羅針盤③活版印刷術――の３つだとされている。

火薬の発明により、それまでの剣や槍（やり）、弓矢を武器としてきた人間の戦いの様相が大きく変わったことは、誰でも想像できるだろう。羅針盤の発明により、人間は船に乗って比較的安全に大海にこぎ出すことができるようになった。また15世紀にグーテンベルクが発明した「可動式金属活字印刷機」によって、人類の進歩に必要な書物を飛躍的に増やせるようになった。それまで書物は手書きで複製するしかなかったから、高価で、僧侶や貴族など限られた人しか入手できないものだった。

質問② その世界3大発明を生み出した国は、どこか

世界3大発明を使いこなしたイメージは、ヨーロッパの国々に強い。だから3大発明の発祥の地はヨーロッパの国のどこかだと思う人が多いのではなかろうか。そうではない。実は答えは、「いずれも中国」である。

火薬を発明したのは9世紀の中国人錬金術師で、硝酸カリウム、炭、硫黄を一定の割合で混ぜて「黒色火薬」を生み出した。アラブ人の化学者が13世紀に火薬の知識を身につけて、これを軍事目的に使用し始め、それがヨーロッパに伝わり、戦争で銃や大砲に使われるようになった。

天然磁石が北を示す性質を持つことを発見したのも紀元前400年ごろの中国人で、当初の使用法は占いだった。9世紀ごろから羅針盤として航海に使用するようになった。それまで北半球を航海する場合、北極星を手掛かりに進路を決め、古い地図に従っていた。羅針盤は常に北極星の方角を示し、昼間や悪天候などでも使えるので非常に便利だった。

活版印刷術は1041年ごろに、中国・宋王朝の発明家である畢昇（ひっしょう）が「粘土板を用いる活版印刷術」を生み出したのが最初だ。彼は湿った粘土板の表面に漢字を1文字ずつ並べ、粘土板を炉で焼き固めて版にした。ただ、粘土板は耐久性が低く、26の活字ですべての言葉を表せるアルファベットと違い、漢字の活字は5000以上必要なことが普及に不利だった。だから約

３００年後に金属活字を使った活版印刷術を生み出したドイツのグーテンベルグの方が、はるかに世界的に有名になっている。

質問③　この3大発明を活用して、最も国際的に発展した国は、どこか

中国ではない。３大発明発祥の国である中国（宋王朝）は、大いに産業・文化・芸術を発展させたものの、軍事的には１２７９年にモンゴル帝国によって滅ぼされてしまい、その後の中国は、モンゴル人の王朝である元の支配を受けてしまった。

３大発明を駆使して国際的に発展したのは、もちろんヨーロッパ諸国だ。その中でもヴェネツィアと英国が華々しい成果を上げたといえる。

ヴェネツィアは13世紀頃から地中海最強の海軍国家として、ヨーロッパとイスラムを結ぶ国際貿易で大いに利益を上げた。ヴェネツィアの商人だったマルコ・ポーロが中央アジアを経て中国（元）に至り、再び帰国できたのは、船（羅針盤）と武器（火薬）のおかげだったと思われる。特に羅針盤は、マルコ・ポーロが中国からヨーロッパに持ち帰ったとされる。ヴェネツィアはヨーロッパにおける活版印刷の拠点となり、世界の「知」が集積した。中国やインド、日本を紹介するマルコ・ポーロの旅行記『東方見聞録』が広がったのも活版印刷術の恩恵だ。

近世の大英帝国の発展はさらにすさまじい。中世まではヨーロッパの片田舎に過ぎなかった

が、１５８８年にスペインの無敵艦隊を破り、オランダやフランスとの勢力圏争いに勝ち、世界中に植民地を広げていった。優れた武器、商船団、世界から得た知識を駆使したからだ。18世紀半ばには世界で初めて産業革命が興り、工業化を達成。19世紀末の最盛期には全世界の陸地と人口の４分の1を占める大帝国を築くに至った。その原動力も、つまるところ、火薬、羅針盤、活版印刷術の３大発明にあったといっていいだろう。

同時期、世界３大発明の発祥の地である中国（当時は清朝）は、どうなっていたか？

その大英帝国やフランス、ロシアといった西欧列強国に侵略され、半植民地状態になってしまっていた。欧米にならって近代化に努めた日本による侵攻も含めて、外敵による中国の苦難は20世紀半ばまで続くことになる。優れた発明や技術を生むことは、それ自体で素晴らしい。しかし、それだけでは、国力を高め国際的に発展するには十分ではないのだ。

質問④ 低迷した中国と、発展したヴェネツィア・英国との違いは何か

３大発明を生かして、国際的に発展したヴェネツィアと英国。３大発明を生み出しながら、外国の侵略を受けてしまった中国。この両者の間にあった違いは何か。これが序章として、肝になる質問である。

答えは「特許制度の有無」だ。

ヴェネツィアは１４７４年、世界初の特許法を制定した国である。ヴェネツィア特許法の目

的は「発明者の名誉の保護を図ることで、有能な人材を国内外から集め、ヴェネツィアの国益に資する」ことだった。新規の独創的な発明をしたものは担当庁に出願し、登録された特許は10年間の保護を受ける。特許を侵害するものがいれば、裁判によって罰金が科される仕組みになっていた。かなり現在の特許制度に近い。

英国の場合、１６２４年に議会が専売条例を制定した。専売条例は、発明と新規事業については（王権に邪魔されることなく）14年間の独占を認めるとともに、権利を侵害した者には損害賠償を請求できることを定めたものだった。それまでヨーロッパの後進国だった英国が、最新の技術を導入するために設けた制度だった。特許制度があったことが下支えとなり、18世紀に英国で産業革命が始まった。発明、ビジネスが制度的に保護されていることが、英国では発明家や企業家が情熱的に仕事に取り組む動機になったのだ。

中世までの中国にも優れた発明や技術があった。それは素晴らしいことだ。中国が近世までアジアの中心だったことも事実だ。ただ、それだけでは近代化には十分ではなかった。他方、ヨーロッパで多くのライバルに囲まれたヴェネツィアや英国には、発明や技術を国家が守り、産業として発展させ、国の発展につなげようとする意志と仕組みがあった。特許制度という「仕組み」「ビジネスモデル」の有無が栄枯盛衰のカギとなったのだ。

このことは現代にも通じる。企業や国の発展には、発明や技術に力を入れるだけでは十分でなく、併せて「仕組み」や「ビジネスモデル」を考案し、実行することが欠かせない。日本を含めたアジアの国々はモノづくりが得意で、技術力では常に世界一を争う実力をもっている。

しかしビジネスモデルや標準化、さらに脱炭素といった新たな仕組み（制度、ルール、プラットフォームなど）を考案し、それを世に広めて「ゲームチェンジ」を仕掛けることでは今も欧米勢が先行し、競争を有利に進めているように思えてならない。

「知的財産」と「知的財産権」との違い

ここまで、「発明」を生み出すだけでは国際競争に勝てないこと、競争に勝つためには「特許制度」という仕組み、ビジネスモデルが大切なことを、中国とヴェネツィア、英国の歴史をひもといて紹介してきた。ただ、そもそも一般のビジネスパーソンや学生などにとって、知財分野の言葉は分かりにくいと思われる。そこで、この機会に知財分野の言葉について、最新の理解を説明しておきたいと思う。

「発明」と「特許」

まず歴史的に最も登場の古い言葉、「発明」と「特許」について。

発明とは、「今までなかったものを、新たに考え出すこと。特に新しい器具、機械・装置、技術・方法などを考案すること」であり、これは皆が知っていることだ。一方、特許は少し難しい。実は３つの意味がある。①国が特定の個人、または法人に対して、特定の権利を与える行政行為②特許法の定めにより、特許権を与える行政行為③特許権のこと――だ。①と②は行政行為、③は知的財産権としての特許権であり、我々は主として、③の意味で使っていることが多い。

ちなみに日本における特許権の取得方法は、新規かつ独創的かつ有用な発明について、個人や企業が所定の型式で特許庁に出願すると、同庁の審査官が世界中の既存の技術などを調べて、出願された内容が特許権にふさわしいかを確認する。要件を満たしていれば特許権として認めることを出願者に通知し、出願者が特許料を納めて登録されれば特許権が発生する。特許権の期限は、出願から20年間である。特許権は各国ごとの権利であるが、特許協力条約（ＰＣＴ）に基づき、世界中の国に同時に出願することが可能だ。

別の者が、同じか、あるいは似た内容の発明を出願した場合、出願の早い者が特許権を得られる。特許権は独占権であり、権利者自身が利用したり、利用を希望するものに有償・無償で使用を許諾（ライセンス）したりできる。無断で特許を使ったり特許侵害品を販売したりした者には、権利侵害だと警告したり裁判に訴えたりして、利用料や損害賠償を請求できる。裁判所は特許侵害者に損害賠償のほかに、製造や販売を止める差し止め命令を出すこともあり、特許権は強力な独占権だといえる。

「特許権」と「知的財産権」

では「特許権」と「知的財産権」の関係はどうか。前述した通り、特許権は知的財産権のひとつである。知的財産権には、特許権以外にも、「実用新案権」「意匠権」「商標権」「著作権」といった権利がある。念のために説明すると、実用新案権は「簡単な発明」に対して認められる特許に準じた権利で、期限は出願から10年。意匠権は「もののデザイン」に対して与えられる権利で、期限は出願から25年。商標権は、「商品やサービスを識別する文字やマーク」に与えられる権利で、期限は登録から10年だが何度でも更新が可能だ。

一般にも知名度が高いと思われる著作権は、「自分の考えや気持ちを表現した作品」に与えられる権利で、期限は原則として著作者の死後70年だ。著作権のユニークな点は、著作者が作品を生み出した瞬間に自動的に生まれ、しかも全世界に権利が生じること。特許権や商標権のように、各国の特許庁に出願、登録する必要がない。担当官庁も著作権は文化庁になっている。ちなみに、知財権の中から著作権を除いた、特許権、実用新案権、意匠権、商標権を合わせて「産業財産権」と呼ぶこともある。

ほかにも、植物の新たな品種に対して種苗法によって守られる「育成者権」、商法によって守られる「商号」、不正競争防止法によって守られる「営業秘密」に関する権利なども知的財産権といえるが、詳しい説明は控える。

知財は、ビジネスに生かしてこそ意味がある

権利の獲得は始まりに過ぎない

このように知的財産権だけでも特許権以外に多くあり、それぞれの意味や使い方を理解しておくことは、経営者やビジネスパーソンには望ましいといえる。しかし、もっと大事なことは、「知的財産＝知的財産権」ではないこと、つまり知的財産は、知財権よりはるかに広い意味でとらえる必要があることだ。

前述した知的財産権を、もう一度、読み返してほしい。すべて特定の法律によって守られる「権利」だ。もちろん発明や創作を生み出した人が、法律によってきちんと権利が保護されることは素晴らしいことだ。これらの権利がなかった時代に、せっかくの工夫や表現を盗まれ、他人に利用されてしまった人々の悔しさ。権利を獲得するために、多くの先人たちが苦労して、汗を、そして時には血を流してきたことを忘れてはいけない。

ただ、気を付けなくてはいけないことは、知財権はすべて、何かを「守る」ために設計されていることだ。ともすれば権利を獲得したこと、法律によって守られたことで意識が完結してしまいかねない。どうしても意識が「守り」に偏ってしまう。あたかも、何かを発明したり、技術を生み出したりしただけで喜ぶように。知財権を獲得しただけでは登録料などコストがかかるだけであり、それらを活用してビジネスとして成立させなければ意味は小さいのだ。

知財とは「ビジネス上の価値あるものすべて」

ここで知的財産という言葉の定義に入りたい。知財には、もちろん知財権が含まれる。しかし、それだけでは、まったく足りない。知的財産権に加え、長年の営業と信頼によって得られたブランド、設計図や顧客情報などの重要な社内の情報、ものづくりのノウハウ、ビッグデータ、様々な契約、ウエブやアプリのデザイン、そして独自のビジネスモデル。「発明や創作によって生まれたビジネス上の価値あるもの」すべてを、知財ととらえるべきだ。すべての知財

図表１　知的財産権、知的財産、知的資産などの分類イメージ

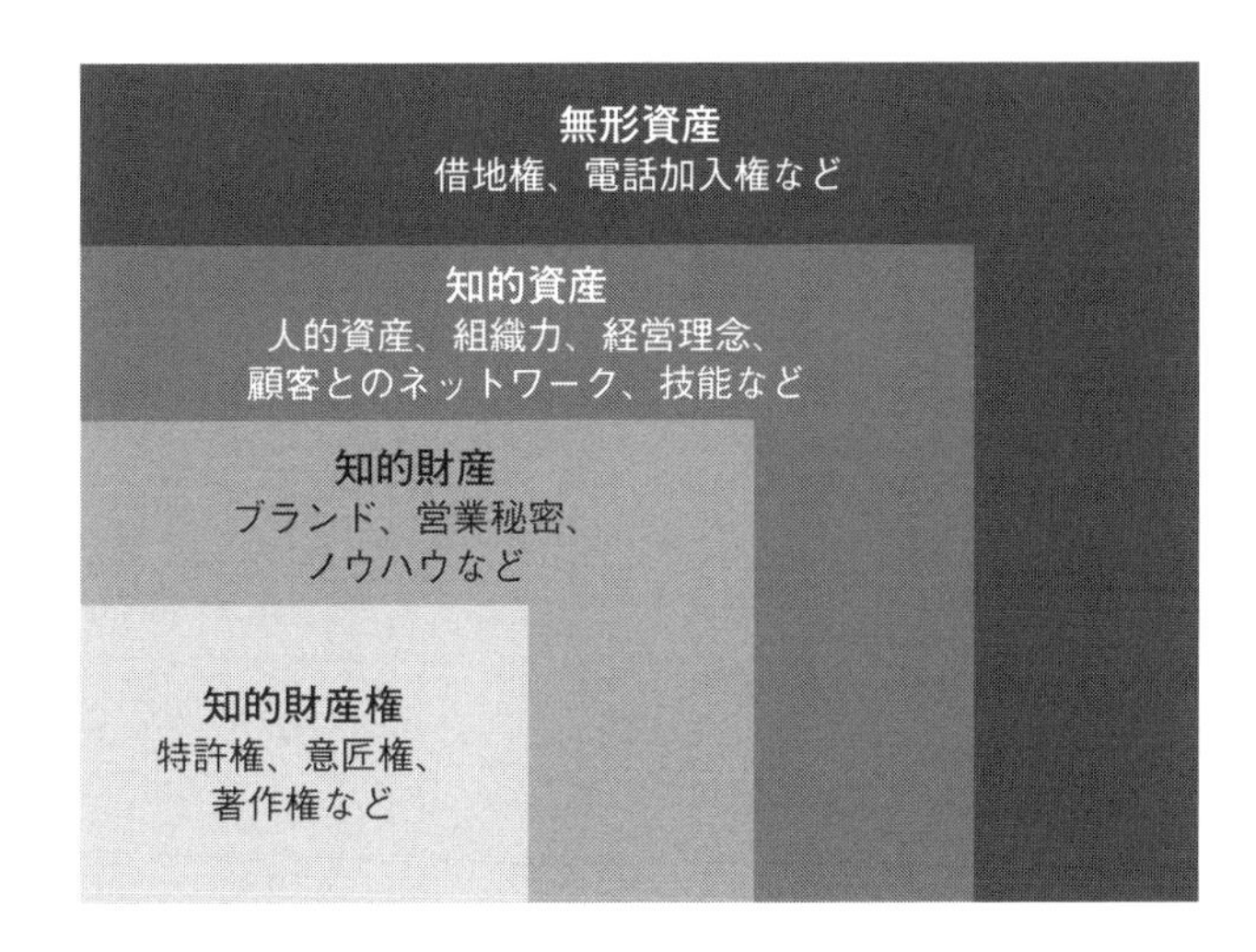

（注）無形資産は貸借対照表に計上される無形固定資産と同義ではなく、企業が保有する形のない経営資源すべて。経産省のサイトをもとに日経作成

を駆使して、ビジネスを成功させなければならない。

近年、取引先と築いたサプライチェーン、付加価値を生み出すバリューチェーンの重要性も指摘される。例えば大企業がスタートアップ企業などと資本、提携関係を結び、新たな価値を生み出すオープンイノベーションも、広い意味での知的財産といえる。こうした広い意味の知財をイメージさせるため、近年では政府や企業で「知財・無形資産」という言葉も使われるようになっている。上に掲げる図表1が分かりやすいと思う。知財を生み出す従業員や契約相手もすべて大事な財産だ。これらも広い意味での知財ということができ、近年では特に「人的財産

（人的資産）」と呼ばれるようになっている。

繰り返すが、読者のビジネスパーソン、特に経営者の方々に認識していただきたいことは2つある。「知的財産を、特許とか知財権といった狭い意味でとらえるのではなく、ビジネス上の価値ある財産すべてと広くとらえる」こと。特許など知財権を必要に応じて獲得する『守りの知財戦略』も大切だが、それ以上に「すべての知財・無形資産を活用してビジネスを成功させる『攻めの知財戦略』を意識し、推進することが最も重要」ということだ。

戦後の日本企業には、知財の「神風」が吹いていた

特許制度という切り札

ここまで知財と知財権の違い、知財権だけでなく広く知財を活かしてビジネスを成功させることの重要性などを強調してきた。では現在、日本は知財で「勝っているのか」、それとも

「負けているのか」を明らかにしていきたい。

ご存じの通り、日本は１９５０年代半ばから１９９０年ごろまで経済成長を遂げた。この日本の経済成長は一般には「ものづくりで成功したから」だと言われるが、実はその背景では知財が、一役どころか、全面的に貢献していたことを紹介する。

19世紀後半、大英帝国をはじめとする欧米列強国が特許制度によって産業革命を果たし、国際的に発展（つまり特許制度をもたないアジア、中近東、アフリカなどの国々を植民地化）していた時期に、日本も開国を迫られた。来航した米国の「黒船」こそ、火薬、羅針盤、活版印刷（知識）の塊であり、幕府を倒した明治維新政府の喫緊の課題は近代化、殖産興業、富国強兵だった。その切り札のひとつが特許制度の導入だった。明治政府の指導者の１人だった高橋是清によって１８８５年（明治18年）、専売特許条例が施行された。

日本を開国させた米国は、１８６５年に南北戦争が北軍の勝利で終わり、自らも発明者で特許をもつリンカーン大統領の下で急激な工業化を遂げつつあった。発明王エジソンによる蓄音機（１８７７年）、白熱電球（１８７９年）、発電機（１８８０年）の開発、グラハム・ベルによる電話の発明（１８７５年）、１８８０年代後半に映画フィルムの技術を確立したジョージ・イーストマン、１９００年前後に創業した自動車王のヘンリー・フォードが大活躍していた。なにしろ米国憲法には、発明や著作の権利を尊重し科学や文化を発展させるという知財尊重条項がある。米国は「プロパテント（特許重視）」の国だった。

日本の企業人、技術者も頑張った。１９１０年（明治43年）創業の日立製作所は、日本で最も歴史ある製造業の1社で、創業者の小平浪平は「発明は技術者の生命である」と発明を奨励した。創業翌年の１９１１年に早くも同社特許第1号「交流電動機起動器制御装置」を取得し、１９２１年には専任の特許担当者を置き、１９２６年には特許出願２８３件を記録して日本一となった。日立の特許出願件数は第2次世界大戦前に１０００件の大台に達したが、戦争と敗戦により１９４５年には２００件程度まで減少。復興により再び増勢に転じ、サンフランシスコ講和条約の結ばれる前年の１９５１年には戦前のピークを上回る１２０４件を記録した。

米国のアンチパテント政策が追い風に

日本の戦後復興を支えたのは輸出、特に経済大国・米国への輸出だった。その両輪は電機と自動車だ。なぜプロパテント（特許重視）の国である米国が、新興国の日本から、たくさんの製品を買ってくれたのか。技術の進んだ米国の企業ならば、日本企業に特許を提供しなかったり、法外なライセンス料を要求したりできたように思われる。

しかし、それはできなかったのである。１９２９年のニューヨーク証券取引所の暴落から世界大恐慌を引き起こした米国は、１９３０年代から「アンチパテント（反特許）」に政策転換していた。米政府は「大企業・大財閥が知財を独占し、競合他社や新興企業の成長を妨げたことが大恐慌につながった」と考え、アンチトラスト法（独占禁止法）を制定し、企業に知財の独占を禁じていたのだ。

この米国の政策変更は、戦後の日本企業にとって「神風」だった。まだ技術力の劣っていた日本企業は、米国のアンチパテント（反特許）政策のおかげで、相応のライセンス料を払いさえすれば、自社の新規事業などに必要とする知財（つまり最新技術）を米企業から手に入れることができたからだ。

１９４６年、東京通信工業（現ソニーグループ）を創業した井深大は、１９５２年の米国出張の際に米国の最先端企業、ウエスタン・エレクトリック社からトランジスタに関する特許の売り込みを受けた。これを機に井深は、それまでのテープレコーダー事業に加えてトランジスタラジオ事業への参入を決断した。ソニーが世界的な電機メーカーに成長するきっかけは、米社からもたらされた特許の売り込みだったのだ。

ほかにも、鉄鋼、合成繊維、自動車、精密機器など日本の主力産業に成長していく業種の多くが、欧米の名だたる企業からの知財供与（技術導入）によって市場に参入できるようになった。もちろん有償ではある。例えばブラウン管テレビの開発を進めていた日立は１９５０年代初め、６万ドル（現在の３億円程度に相当）を払って、当時の先進電機メーカー、米ＲＣＡ社とライセンス契約した。

ＲＣＡ社から特許の利用許可を得たのはもちろん、日立の技術者２人がＲＣＡ社の工場に常駐し、写真撮影、最新の見本や部品、工具、装置などの閲覧、現地技術者との意見交換までできる内容だった。日本の工業製品が急速に欧米をキャッチアップできたのは、このように知財を有償で獲得しやすい当時の政策、経済環境があったからこそといえるのだ。

日本の「勝利の方程式」だったクロスライセンス

日本側にも悩みはあった。１ドル＝３６０円という当時、知財のライセンス料は非常に高く付いたのである。自社でも技術開発をしたいが、その原資がライセンス料の支払いに消えてしまうと、いつまでたっても自立できない。そこで芽生えたのが「自社開発と特許出願に注力し、欧米先進企業とクロスライセンスを結べるようにしよう」という発想だった。

クロスライセンスとは、企業が保有する特許やノウハウなど知財の使用を、契約を結ぶことによって、互いに認め合うことをいう。特に家電や情報通信機器、機械、精密機器、自動車など、製品が一般市場で流通する製造業では、知財の活用手法として今日まで一般的な戦略のひとつになっている。

製造業の場合、市場に参入するには製品（もの）を作らなければならない。製品を作るには、原材料費や人件費に加え、競合他社に知財ライセンス料（技術料）を払う必要が出てくる。どんな工業製品でも、それを作るためには様々な技術を用いるし、製品自体にも様々な発明が組み込まれている。すべてを自社だけで独占できるはずはなく、必ず他社の技術や特許を使用する必要があるからだ。

自社が知財をもっていなければ、他社へのライセンス料の支払いで製造コストが上がってし

図表２　クロスライセンスとは

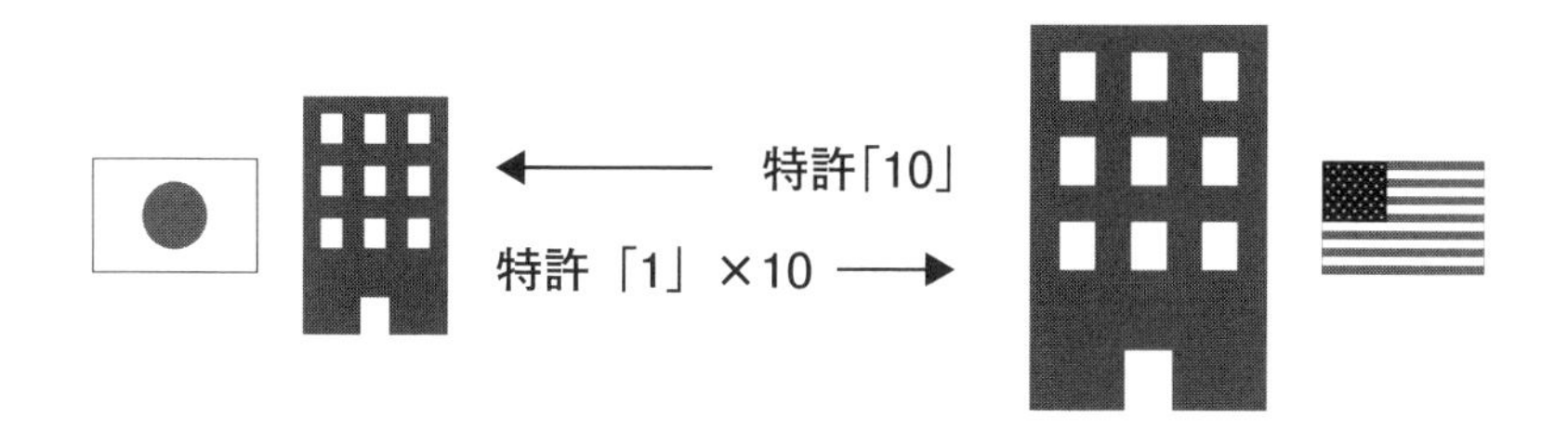

- 仮に他社の特許がすごくて（例えば価値「10」）、自分の特許がたいしたことがなくとも（例えば価値「1」）、10個を束にすれば相手と対等のクロスライセンスができる
- 戦後、日本企業が必死に特許出願数を増やしたのは、こういうクロスライセンスを欧米企業と結ぶためだった

まい、商売にならない。特に現代では電機や自動車を作るのに非常に多くの知財（例えばスマートフォン1台に使われる特許は10万件ともいわれる）を使うため、有力な知財だけでも、複数の企業が所有している。そこでクロスライセンスが必要となる。高いライセンス料を払う代わりに、自社の知財とクロスライセンスし、互いにコストを節約するのだ。

ということで、戦後の日本企業も欧米先進企業とのクロスライセンスを目指したわけだが、いかんせん、当時の日本は欧米と比べて技術力が劣っていた。そこで日本企業が考え出したのが、「特許の質で劣るなら、特許の量で補う」という戦法だった。「下手な鉄砲も、数打ちゃ当たる」という戦法だったといってよい。

例えば、技術の進んだ欧米の会社の特許

1件の価値が「10」あったとしよう。これに対して、新興で技術の劣る日本企業の特許1件の価値が「1」しかなかったとしても、それを10件、束にすれば価値は「10」となり、クロスライセンスに持ち込むことができる。また仮に全部で「5」の価値にしかならなかったとしても、相手側に払うライセンス料を引き下げる効果が見込める（図表2）。

特許の大増産へ

だから、戦後の日本企業、特に当時の先端産業だった電機メーカーは特許の大増産に励んだのだ。すべての日本企業の先頭に立ち、1972年にいわゆる「有効特許倍増計画」をぶち上げたのが電機メーカーのトップ、日立製作所だった。同社は特許部門のみならず各事業所が運動方針（目標）と組織を固めた上で、特許増産に全社で取り組んだ。その結果、同社の出願件数は飛躍的に増加した。

運動開始前の1971年に7144件だった出願件数は、2年後の1973年には2・6倍の1万8521件、5年後の1976年には2万2080件と、1971年に比べて3倍増が達成された。この年間2万件超という数字は今日（2023年時点）に至っても、日本企業が達成した年間の特許出願件数の最長不倒記録となっている。そして、この日立の取り組みが、ライバルの電機メーカーを大いに刺激した。

1985年の業種別特許公開件数をみると、全産業の特許出願に占める電機のシェアは実に

図表３　クロスライセンスによる勝敗

- いったんクロスライセンスを結んでしまえば、あとは市場でガチンコの性能・価格競争となる

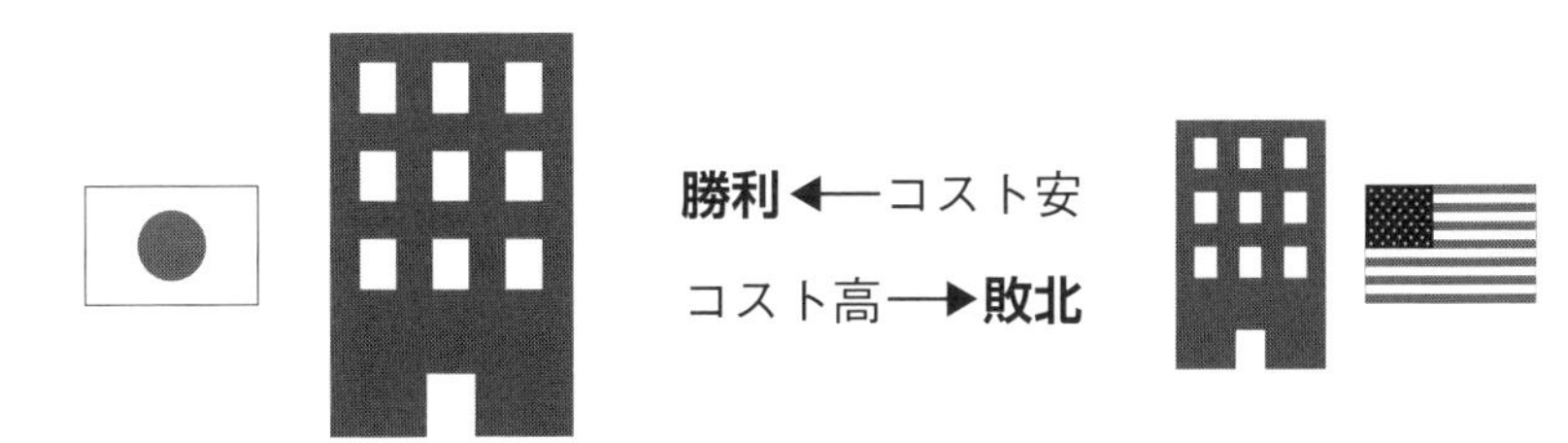

- 日本企業は1980年代まで1ドル＝360円～ 200円台半ば、人件費も安かった。品質が互角なら、欧米企業との競争は圧倒的に有利
- その結果、1990年ごろまで家電・自動車など日本製品は世界で圧倒的な勝利を収めた

55％もあり、大きく離れて化学（8・2％）、精密機器（7・5％）、自動車・部品（6・4％）と続いている。会社別でも1位が日立製作所（1万6000件強）、2位が松下電器産業（現パナソニックHD、同）、3位が東芝（1万4000件弱）、4位NEC（1万件弱）、5位三菱電機（9500件強）などとなっており、上位10社中、7位までを電機メーカーが占めた。

こうして大手電機メーカーが引っ張った日本全体の特許出願件数（実用新案件の出願を含む）は1960年代に年間10万件を超え、西ドイツ、米国を抜き去って世界1位となり、1990年ごろには年間30万件、2000年代前半には40万件に達していた。この頃、世界の特許出願件数のうち、実に日本が半分を占めていたのだ。

こんなモーレツな特許大増産の結果、この「知財の束」をクロスライセンスに使った日本企業の戦略は大成功した。これだけ大量の特許があれば、欧米の競合会社の技術がどんなに優れていようが問題にならない。日本企業が生み出した大量の特許の中には、相手が無視できない特許もあり、必ずクロスライセンスに持ち込むことができた。

いったんクロスライセンスを結ぶことができれば製品を作ることができる。そして当時1ドル＝３６０円から２００円台という為替レートの恩恵で、日本製品は圧倒的に安く輸出できた。加えて真面目に改善に取り組み、まずまずの性能、品質を実現していた日本製品は欧米各国の市場でガチンコの勝負に持ち込み、欧米製品に圧勝した（図表3）。高度成長期に日本の電機製品、自動車が売れまくったのは、一般には「日本製品の品質が上がったから」と信じられているのは一面の事実だが、背景には知財のクロスライセンスが効いていたことを忘れてはならない。

知財のルールを変えた欧米企業、日本の技術を奪ったアジア企業

崩れた「勝利の方程式」

こうして電機、自動車という二大産業を中心に知財のクロスライセンス戦略が奏功して経済成長を遂げた日本だったが、その神通力が失われる時がきた。それが１９９０年代半ばから２０００年代初めだ。この時期に何が起きていたのか。

１つめは、日本企業に敗れ去った欧米企業が製造業（ものづくり）から撤退し、ソフトウエアや知財そのものを武器とする技術産業に転換したことだ。分かりやすい例が、パソコン用ＯＳ（基本ソフト）である「ウィンドウズ」でパソコンを支配した米マイクロソフトであり、パソコンの頭脳にあたる半導体ＭＰＵ（の知財）によってパソコンを支配した米インテルであり、２０００年代の通信規格「３Ｇ」の知財を独占した米クアルコムだった。

米国企業のたどった知財戦略は後ほど詳しく説明するが、代表例としてクアルコムの取り組

図表４　クロスライセンスは無効にされた

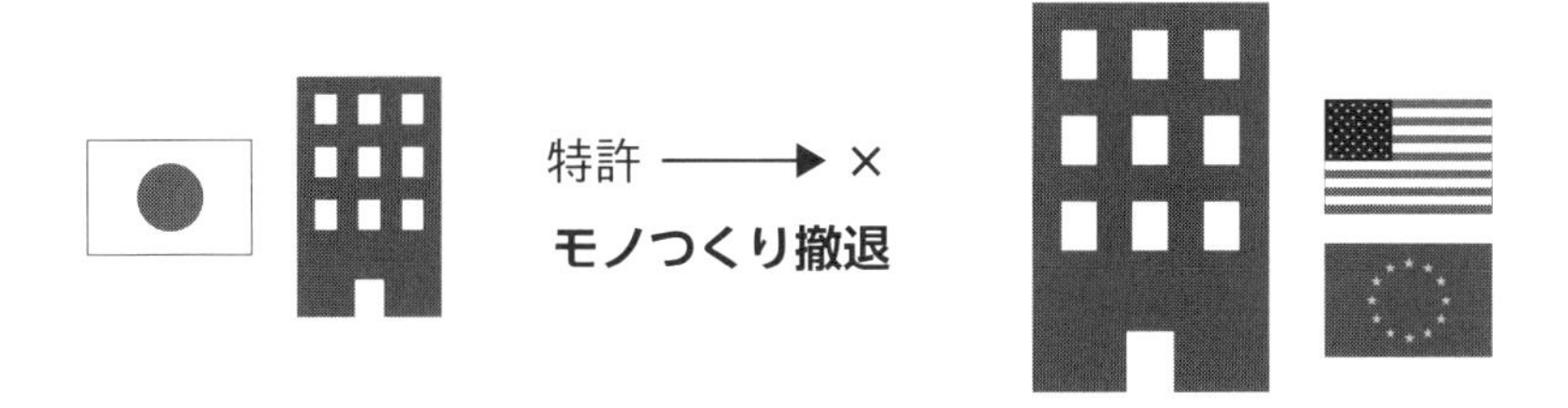

- 欧米企業はモノづくりから撤退し、インターネットやビッグデータ、知財そのもの、国際標準などを駆使し、ソフトウエアやサービス、ブランドを売る新たなビジネスに転換した
- これによって日本の製造業は、特許の大量出願によるクロスライセンス戦略がとれなくなった

みを簡単に紹介しておこう。クアルコムも１９８５年の創業時は携帯電話や通信設備のメーカーだった。しかし、同社は１９９０年代、「３Ｇ」の主流となる技術「ＣＤＭＡ」の実用化に成功した段階で、メーカーであることをやめた。

１９９９年に携帯電話事業、通信設備事業とも売却してしまい、ＣＤＭＡ携帯電話用の半導体チップの設計、開発だけに集中した。そして半導体チップの量産は、今をときめく台湾積体電路製造（ＴＳＭＣ）に任せたのだ。これはクアルコムとＴＳＭＣがそれぞれの役割を定めて特化し、新規事業で共存共栄する仕組み「エコシステム」を作り上げたことを意味するが、このことも、後ほど詳しく説明することにする。

クアルコムはメーカーをやめたため、半導体の製造のために競合他社の特許を使う必要がなくなり、他社のクロスライセンスに応じる必要もなくなった（図表４）。だから安心して、世界中の通信機器メーカーから３Ｇに関する高額なラインセンス料を要求し、搾り取ることができた。通常、企業が他社に求めるライセンス料は製品価格の数％が相場とされるが、クアルコムは一時、実に20％のライセンス料を得ていたとされる。

クアルコムをはじめとした欧米企業が、知財を中核とした技術産業に転換したことで、日本メーカーのクロスライセンス戦略は通用しにくくなった。ものづくりで敗れた欧米企業が、新しい知財の使い方、知財を生かした「勝利の方程式」を作り上げたともいえる。１９９０年代から２０００年代に米国企業が生み出した新たな勝利の方程式は今日、「オープンイノベーション」と呼ばれたり、「オープン＆クローズ戦略」と呼ばれたりしている。本書では、「攻めのオープンな知財戦略」と呼ぶ。「攻めのオープンな知財戦略」については、第１部の後半と第２部で詳しく説明していく。

秘密にしておくべき情報を公開

さて、１９９０年代半ばからの日本にとっての逆風はもうひとつあった。それは韓国のサムスン電子、台湾のＴＳＭＣ、そして中国の華為技術（ファーウェイ）といったアジアの新興国の企業が、日本と同じモノづくりで急速に台頭してきたことだ。彼らの成長の陰には、日本からの技術流出という側面があったことは指摘しておかなければならない。

２０００年代半ば、日本における特許出願件数が年間40万件を超えて世界一の水準にあったとき、日本の知財関係者を唖然（あぜん）とさせる事実が明らかになった。日本で特許情報を公開している特許庁のデータベースへのアクセスを調べたところ、最大のアクセスは日本からではなく、韓国、台湾、中国からなされていたのだ。

ご存じの通り、企業などが出願した特許の内容は、原則として1年半後、特許公報やインターネットにより一般に公開される。世の中で研究に励んでいる人々に対し、重複した発明をしないように知らせるという特許制度の基本的な仕組みだが、公開された特許の内容は、模倣者にとっては「最高の教科書」ともなる。

実際、日本を手本に製造業の振興を図ろうとしていた韓国、台湾、中国などは１９８０年代から、日本企業の出願する特許情報を詳細に研究していた。特許情報を参考に、その特許の内容に抵触しないように新たな発明を考えることは誰でもやっているし、それが特許情報を公開する目的でもある。しかし、これらアジア企業が日本の特許情報を調べていたのは、日本企業の強みだった工場の製造ノウハウを分析し、日本のものづくりを丸ごとまねることだったとされている。

工場における製造ノウハウは他社に模倣されても、その事実を突き止め、訴えることが難しい。だから本来、製造ノウハウは特許として公開したりせず、門外不出の営業秘密とすべきだが、２０００年代半ばまで特許を増やすことを戦略としていた日本企業は、工場の技術者にまで特許出願のノルマを課していた。工場の技術者たちはノルマを果たすため、本来は秘密としておくべき製造ノウハウを、特許として出願してしまっていたのだった。

丸裸にされる日本企業

日本の特許情報を分析し、日本企業の製造ノウハウの知識を得た韓国、台湾、中国のメーカーは、その技術を自分たちの工場で試してみた。しかし製造ノウハウは、特許情報を読んだだけで再現できるほど甘いものではない。現場の技術者だけが知っている情報や経験を加えなければ、うまく再現できないノウハウがほとんどだろう。

そこで韓国、台湾、中国の企業は１９９０年代から、日本の優秀な技術者を研究論文などで割り出し、学会などで声をかけ、「講師」や「顧問」として招待し始めた。自社の技術者向けに講演してもらい、日本の製造ノウハウの秘密を探ったのだ。目を付けた日本の技術者をアルバイトとして週末に招いたり、高額な報酬、魅力的な条件でスカウトしたりすることも盛んに行われた。

当時の日本メーカーは電機を中心に不況の風が吹き、経験ある技術者を次々にリストラしていた。生活や家族を守るため、日本人技術者が続々とアジア企業に流出していった。このようにして２０００年代までに、日本企業の強みだった現場の製造ノウハウは、アジア企業によって丸裸にされてしまっていた。

2024年現在、日本は知財戦略で世界に「負けている」

致命的な判断ミス

欧米企業は1990年代以降、アジア企業と市場で戦うことを避け、知財を使った共存共栄の仕組み「エコシステム」を築く戦略に転換した。アジア企業をライバルとみなすのではなく、共存共栄のための提携先とすることで自らの生き残りと利益につなげていった。そのために編み出したのが「攻めのオープンな知財戦略」である。この「攻めのオープンな知財戦略」については後ほど、詳しく説明する。

一方、1990年代～2000年代の日本メーカー、特に電機大手はものづくりで欧米企業に勝利した成功体験を忘れられず、成長してきた韓国、台湾、中国のメーカーを直接のライバルとみなし、真っ向勝負するという判断をした。今から考えると、これは致命的な判断ミスだった。そして日本メーカーはコスト削減や事業規模を巡ってアジア企業と競い始めた。

日本の得意技だったクロスライセンス戦略は、同じ製造業であるアジア企業との間では引き

図表５　逆転する立場

敗北◀―コスト高
コスト安―▶勝利

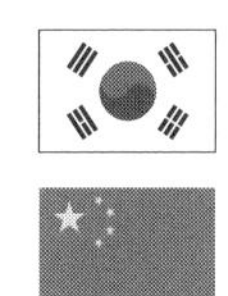

- 欧米企業に通用したクロスライセンス戦略は、韓国、中国企業を相手にした場合、立場はまったく逆転する
- 1990年代には1ドル＝80～100円の円高、韓国ウォン安、中国人民元安であるから、特許をクロスライセンスしてしまえば人件費の高い日本は市場で負けるしかない
- しかも日本企業は特許の大量出願の副作用で、虎の子の技術・ノウハウも中韓に盗まれてしまっていた

続き機能する。しかし為替レートは１ドル＝80～１００円の円高が定着し、ウォン安、元安の恩恵を得ていた対韓国、対中国との関係では、かつての対欧米企業とはまったく逆の効果を生んだ。つまり性能や品質が同程度であれば、クロスライセンスによって容易に市場に参入できる韓国、台湾、中国の製品は圧倒的に有利となり、日本製品の性能や工夫にかかわらず、電機や半導体などで日本が負け続ける展開となった（図表５）。

慌てた日本メーカーは、必死に製造コストを引き下げるという対策しか思い付かなかった。人件費の高い日本の工場を閉鎖し、２００１年にＷＴＯ（世界貿易機関）に加入した中国に製造拠点を移したのが、決定的な愚行だった。日本の優秀な技術者はリストラに追い込まれ、アジア企業への人材流出が強まった。進出してきた日本企業で働く中国の技術者は堂々と製造ノウハウを学んだ上で中国メーカーに転職し、技術流出が加速したのだった。

　こうして日本企業は欧米企業によって知財のルールを変えられ、知財戦略の失敗でアジア企業によって技術も丸裸にされてしまった。その結果、２０００年代から２０１０年代にかけて、日本の戦後を支えてきた二大産業のひとつで、「知財の雄」ともいえた電機・半導体メーカーに大異変が起きることとなった。

　２００３年4月に株価が急落したソニーは2年後に国内外で1万人の人員削減に追い込まれた。２００９年には日立が製造業で過去最大の７０００億円強の最終赤字を記録。２０１２年には半導体大手のエルピーダメモリが経営破綻し、パナソニックは２０１２～２０１３年に２期連続で７５００億円超の巨額赤字を計上。２０１６年には液晶事業への巨額投資の失敗で危機に陥ったシャープが、台湾の鴻海（ホンハイ）精密工業の傘下に入った。日本の大手電機メーカーが外資に買収されたのはこれが初めてだった。

　この時期、比較的健闘していたと考えられていた東芝も実は経営不振で、２０１４年度までの6期にわたって巨額の不適切会計をしていたことが後に発覚した。同じく三菱電機も、全国の製造拠点で品質や検査データの不正な改竄（かいざん）を続けていたことが発覚した。つまり日本の電機産業は、２０２０年までに壊滅的な敗北を喫したのだ。競争力を保ってきた自動車産業も、電気自動車（ＥＶ）事業への転換の後れから、今後の見通しは予断を許さない。

敗北の30年間の実相

以前、著者（渋谷）が書籍に掲載したことのある資料（図表６）を、今一度、紹介したいと思う。１９８９年（平成元年）と２０１８年（平成30年）における世界の企業別の時価総額のランキングだ。１９８９年をみると、この時期は日本の不動産バブルの影響が色濃く、都市銀行など多くの日本の金融機関が上位に位置するほか、１位のＮＴＴ、９位の東京電力、11位のトヨタ自動車、17位の日立製作所など上位40社中、実に24社を日本企業が占めている。

ところが２０１８年をみると、日本企業はトヨタが35位に残るのみで、アップル、アマゾン・ドット・コム、アルファベット（グーグル）、マイクロソフト、フェイスブック（現メタ）という、いわゆる米ＩＴ大手ＧＡＦＡＭが1～5位を占め、アリババ（7位）やテンセント（8位）といった中国のＩＴ企業、米ジョンソン・エンド・ジョンソン（11位）、韓国サムスン電子（16位）、米インテル（22位）、米ファイザー（26位）など、知財やデータを駆使する企業が浮上している。

つまり「平成の30年間」は、知財戦略の不備によって日本企業が敗れ去った「敗北の30年間」だった。日本は太平洋戦争での敗戦後、１９５０年代後半から１９９０年くらいまでの約30年間を、知財戦略を含めた幸運によって欧米に勝利することができた。しかし続く１９９０年代半ばから２０２４年現在までの約30年間、日本は知財戦略で欧米、韓国、台湾、中国など

図表6　世界時価総額ランキングの推移

平成元年　世界時価総額ランキング

順位	企業名	時価総額（億ドル）	国名
1	NTT	1638.6	日本
2	日本興業銀行	715.9	日本
3	住友銀行	695.9	日本
4	富士銀行	670.8	日本
5	第一勧業銀行	660.9	日本
6	IBM	646.5	米国
7	三菱銀行	592.7	日本
8	エクソン	549.2	米国
9	東京電力	544.6	日本
10	ロイヤル・ダッチ・シェル	543.6	英国
11	トヨタ自動車	541.7	日本
12	GE	493.6	米国
13	三和銀行	492.9	日本
14	野村證券	444.4	日本
15	新日本製鐵	414.8	日本
16	AT&T	381.2	米国
17	日立製作所	358.2	日本
18	松下電器	357.0	日本
19	フィリップ・モリス	321.4	米国
20	東芝	309.1	日本
21	関西電力	308.9	日本
22	日本長期信用銀行	308.5	日本
23	東海銀行	305.4	日本
24	三井銀行	296.9	日本
25	メルク	275.2	米国
26	日産自動車	269.8	日本
27	三菱重工業	266.5	日本
28	デュポン	260.8	米国
29	GM	252.5	米国
30	三菱信託銀行	246.7	日本
31	BT	242.9	英国
32	ベル・サウス	241.7	米国
33	BP	241.5	英国
34	フォード・モーター	239.3	米国
35	アモコ	229.3	米国
36	東京銀行	224.6	日本
37	中部電力	219.7	日本
38	住友信託銀行	218.7	日本
39	コカ・コーラ	215.0	米国
40	ウォルマート	214.9	米国

平成30年　世界時価総額ランキング

順位	企業名	時価総額（億ドル）	国名
1	アップル	9409.5	米国
2	アマゾン・ドット・コム	8800.6	米国
3	アルファベット	8336.6	米国
4	マイクロソフト	8158.4	米国
5	フェイスブック	6092.5	米国
6	バークシャー・ハザウェイ	4925.0	米国
7	アリババ・グループHD	4795.8	中国
8	テンセントHD	4557.3	中国
9	JPモルガン・チェース	3740.0	米国
10	エクソン・モービル	3446.5	米国
11	ジョンソン・エンド・ジョンソン	3375.5	米国
12	ビザ	3143.8	米国
13	バンク・オブ・アメリカ	3016.8	米国
14	ロイヤル・ダッチ・シェル	2899.7	英国
15	中国工商銀行	2870.7	中国
16	サムスン電子	2842.8	韓国
17	ウェルズ・ファーゴ	2735.4	米国
18	ウォルマート	2598.5	米国
19	中国建設銀行	2502.8	中国
20	ネスレ	2455.2	スイス
21	ユナイテッドヘルス・グループ	2431.0	米国
22	インテル	2419.0	米国
23	アンハイザー・ブッシュ・インベブ	2372.0	ベルギー
24	シェブロン	2336.5	米国
25	ホーム・デポ	2335.4	米国
26	ファイザー	2183.6	米国
27	マスターカード	2166.3	米国
28	ベライゾン・コミュニケーションズ	2091.6	米国
29	ボーイング	2043.8	米国
30	ロシュHD	2014.9	スイス
31	台湾・セミコンダクター・マニュファクチャリング	2013.2	台湾
32	ペトロチャイナ	1983.5	中国
33	P&G	1978.5	米国
34	シスコ・システムズ	1975.7	米国
35	トヨタ自動車	1939.8	日本
36	オラクル	1939.3	米国
37	コカ・コーラ	1925.8	米国
38	ノバルティス	1921.9	スイス
39	AT&T	1911.9	米国
40	HSBC HD	1873.8	英国

（注）HDはホールディングス
（出所）週刊ダイヤモンド、ビジネスウィーク、ファクトセット

に後れを取り、大きく敗北した。つまり「今、日本は知財で負けている」。この厳しい現実を、まず読者の皆さんに認識してもらわなければいけない。

第2章

世界最先端の知財戦略から後れる日本

BEST MANAGEMENT LEVERAGING INTELLECTUAL PROPERTY

米国先進企業、「攻めのオープンな知財戦略」で雪辱

知財の「エコシステム」を構築

１９９０年代から２０２０年代までの日本企業の苦境をよそに、この時期、欧米の先進企業はどのような知財戦略を組み立てていたのだろうか。

１９９０年代より以前は、日本企業だけでなく欧米企業も良い製品（もの）を作ることが事業の中心だった。だから特許を中心とする知財も、製品の差別化を図り、同業の競合他社と競争するためのツールだと考えられていた。自社の特許で製品と事業を守り、他社の侵害があれば訴える。自社は他社の知財権を侵害しないよう、リスク管理を徹底する。これは「守りのクローズな（競争のための）知財戦略」といえる。

しかし１９９０年代以降、欧米企業では、ものづくりを中心とする事業から、より付加価値の高いサービスを顧客に提供するという「ソリューション（問題解決）ビジネス」への転換が始まった。ものづくりでは日本企業にかなわなくなったからだ。生き残るには、ものづくりで

はない付加価値で勝負するしかない。そこでソリューションビジネスというアイデアにたどり着いたが、ソリューションビジネスは様々な製品やサービスを組み合わせて付加価値の高いサービスを顧客に提供するため、すべてを1社だけでそろえることは難しい。

たとえて言うならば、魅力的なショッピングモールを作るために、様々な商品やサービスを提供する専門店に声をかけ、再開発を仕掛ける不動産会社のようなイメージだろう。不動産会社は特徴をもった専門店に出店してもらうため、良い立地を整えたり、出店費用を安くしたりするかもしれない。魅力的なショッピングモールを作り、集客に成功すれば、不動産会社も専門店も共存共栄できる。これが再開発事業における「エコシステム」だ。

これと同じように、特許など多くの知財を抱える製造業が新たにソリューションビジネスを仕掛けるにはどうするか。そのビジネスに欠かせない提携先の企業に対し、自社の知財を無償・割安で提供するなどして、提携先の事業を支援するツールとして使うことを思い付いたのだ。これが「攻めのオープンな知財戦略」だ。ソリューションビジネスという新たな事業を提携先と協力して生み出すので、「競争」ではなく、「共創」である。だから「攻めのオープンな（共創のための）知財戦略」と呼ぶことが適切かもしれない。

「売れる知財」を意識したＩＢＭ

この「攻めのオープンな（共創のための）知財戦略」が欧米企業で取られるようになった契

機は、まさに１９６０年代から１９８０年代までの日本企業が、ものづくり事業で大成功していたためであると著者（林）は考えている。この時期の日本企業は、先に述べてきたように競合企業との間で知財のクロスライセンスを成立させ、欧米企業に対して優位に立っていた。従来の「守りのクローズな（競争のための）知財戦略」では、欧米企業は日本企業に対抗できなくなった。生き残りを図るための試行錯誤の中から、「攻めのオープンな（共創のための）知財戦略」を生み出したと考えられる。

例えば米ＩＢＭは１９７０年代にはコンピューターの汎用機（メインフレーム）で圧倒的な地位を占めていた。ところが80年代にワークステーション（基本ソフト＝ＯＳは「ＵＮＩＸ」を採用）やパソコン（基本ソフト＝ＯＳは「マイクロソフト」を採用）が登場して以降、ＩＢＭの汎用機事業は衰退し、１９９２年度決算の赤字は約50億ドルを計上した。１９９１～１９９３年度の累積損失は１５０億ドルを突破することとなり、企業の損失額としては過去最悪を記録してしまった。一方、日立製作所、富士通、ＮＥＣといった日本のコンピューター会社は１９７０年代に急拡大し、１９８０年代以降も市場シェアで世界を制覇する勢いだった。

１９９０年代になって記憶蓄積に使われる半導体＝ＤＲＡＭの需要が汎用機からパソコンに変化しても、日本の半導体メーカーはそれまでと同じ仕様のＤＲＡＭの製造を続け、順調な業績を上げていた。当時、ＲＪＲナビスコからＣＥＯ（最高経営責任者）としてＩＢＭに転じたルイス・ガースナー氏は経営改革を断行し、ソリューションビジネスへの転換を目指した。具体的には、汎用機や通信機といった製品（もの）中心の事業から、半導体やＯＳなどは提携先の他社製品を推奨してまでも、顧客の事業を支援するソリューションビジネスに舵を切り、当初は既存ビジネスにこだわるＩＢＭ社内の守旧派から猛烈な反発を受けた。

このときＩＢＭが踏み切ったのが、自社のパソコンに他社の半導体、ＯＳを採用するオープン戦略だった。このＩＢＭの決断によって、半導体チップのインテル、パソコンＯＳのマイクロソフトは飛躍的な成長を遂げた反面、ＩＢＭは自社の収益確保という面では復活に時間がかかったため、インテル、マイクロソフトに事業機会を与えたに過ぎないとして、「オープン戦略も失敗だ」との評価を受けていた。引き続きＩＢＭは経営危機を脱するため、特許やノウハウを中心とした知財を売却・ライセンスすることで当面の収益を得る決断をせざるを得なかった。その結果、経営危機を脱した２０００年ごろには知財による収益が約２０００億円を超えるところまで膨れ上がった。

ここからは著者（林）の推測であるが、当時、ガースナー氏は知財を売却、ライセンスして流動化（現金化）させることは収益が高いと実感したと思われる。そこでその後も、事業部門や技術部門に対して、持続的に知財の流動化を行えるように、「売れる知財」を取得することを意識して技術開発を行い、知財による持続的な収益を維持することを命じたのではないか。ここで言う「売れる知財」とは、まさに取引先、提携先であるバリューチェーンの上流・下流の企業の事業の支援になる知財であると考えられる。ここに米国における、「攻めのオープンな（共創のための）知財戦略」を追求する流れが始まったとも考えられる。

ライバルからパートナーへ

もう一度、「攻めのオープンな（共創のための）知財戦略」を定義づけてみよう。従来のものづくりビジネスの場合、ライバルは同業他社だ。類似製品を作っており、少しでも高性能で、差別化できる製品を作らなければならない。研究開発の結果、生み出した特許をはじめとする知財も、同業他社に対して使わせなかったり高いライセンス料を示して牽制したりする「守りのクローズな（競争のための）知財戦略」が主流となる。

しかし顧客の課題解決をテーマとするソリューションビジネスでは、様々な製品やサービスを組み合わせて最良のサービスを提供するため、新事業を共に実現するパートナー企業が必要となる。つまり１９９０年代以降のＩＢＭにとってのインテルやマイクロソフトのような存在だ。こうした取引先と共存共栄の「エコシステム」を作らなければならない。コンピューター業界の雄であった当時のＩＢＭであれば、下請けのソフト会社に過ぎなかったマイクロソフトにとっては取引できるだけでもありがたいブランドだったと思われるが、そんな存在ではない企業が、パートナー企業をひき付けるにはどうするか。

ショッピングモールを再開発する不動産会社であれば、魅力的な立地や建物などを出店候補に提供できる。では、大手メーカーだったらどうだろうか。これまで自社が懸命に研究開発し、蓄積した多くの特許やノウハウといった知財があるではないか。しかも日本企業の場合、そのうち半分程度は自社で使っていない「死蔵特許」といわれている。それを、パートナー企業の事業を支援するためのツールとして、無償や低料金で提供するのだ。それをテコに、動機にして、パートナー企業を自社の「エコシステム」に組み込むことができる。これこそ「攻めのオープンな（共創のための）知財戦略」なのだ。

新規事業を創り、既存市場を破壊する

アマゾンが破壊したもの

顧客に新たな価値を提供するソリューションビジネスを実現するには、これまで自社が抱えてきた複数の事業をどう組み合わせ、あるいは使えない事業は捨て去って、いかに新たな事業を創造するかがポイントとなる。そこでは新たなビジネスモデルを作り上げる「ビジネス・アーキテクチャ（事業構築）」の考え方が重要になるが、このことは後述する。知財活用の面では、ＩＢＭなどが苦境の中から発見した「攻めのオープンな（共創のための）知財戦略」を使うことで、パートナー企業に自社と提携することへの動機付けを与える。そして提携に応じたパートナーの技術や事業、サービス、その市場などを自らの「エコシステム」に取り込み、新たなソリューションサービスを展開することが可能になる。

ＩＢＭはものづくりに強い日本のライバルに勝てない事業において、独占（クローズ）での使い方が主であった知財を提携先に開放（オープン化）した。これによって、あえて競争を促進してコモディティ化（一般化）させ、サービスなど別の顧客価値を提供する事業で収益を上げる勝ちモデルへ転換している。

こうして築いたソリューションビジネスは、従来の競合企業が持たない新ビジネスだ。ソリューションビジネスを生み出した企業は新たな収益源を手に入れたことになり、従来の他社と競合する分野や市場においては利益を限界まで削ったり、極端にいえば赤字にしたりしても事業を続けることが可能になる。顧客としては、利益を限界まで削った低価格の商品・サービスを好んで使うから、ソリューションビジネスを手にした企業は、従来市場で競合他社からシェアを一気に奪うことができる。一方、競合他社は利益が出ない商売を強いられることになり、その事業は崩壊してしまう。

卑近な例だが、米アマゾン・ドット・コムは当初は書籍の分野から、現在はあらゆる分野に至る商品をインターネット上の「巨大なショッピングモール」で販売しているが、利用者への課金は原則無料（アマゾン・プライムという有料会員制度もある）だ。また配送料すら無料であり、配送会社に対する立場が強いため、商品の到着も早い。つまりアマゾンは、従来は買い求める商品ごとに店を移動し商品を選ばなければならなかった消費者に、極めて利便性の高いソリューションビジネスを無料で提供している。

一方、アマゾンはそのショッピングモールサイトの魅力を高めるため、様々な商品を出品してくれる専門店や販売元という事業パートナーを大量に必要としているので、これら事業パートナーに対しても、出店のためのシステムや広告のためのツールを無料、あるいは廉価で提供している。ソフトやツールは知財そのものだ。つまりアマゾンは、ソリューションビジネス（＝アマゾンのサイト）のためにパートナーと共存共栄の「エコシステム」を構築しており、「攻めのオープンな（共創のための）知財戦略」を実行しているのだ。

一方、アマゾンが登場するまで「小売り」というビジネス分野で激しく競争していた書店や商店街、百貨店といった業態は、どんな状況に陥っただろうか。かつての繁栄から、衰退の一途をたどっている。非常に限定された高級品、ブランド商品、生鮮食品などに限れば引き続き専門店での取引が残っているが、特に書籍や文房具、工具、日用品、一般消費材の販売チャネルはほとんどアマゾンに取って代わられてしまったといってよい。アマゾンは、従来の小売業のビジネスモデルを崩壊させてしまったのだ。

アマゾンの勃興こそ、ソリューションビジネスにおける「攻めのオープンな（共創のための）知財戦略」の成功例だといえる。一方でアマゾンは利用者や、知財を低価格で提供している出品者（事業パートナー）を、契約という手段で合法的に縛ることも忘れていない。そして契約によって個人情報や販売データを独占し、それを分析し、活用することで巨大な利益を上げている。ソリューションビジネスは「共存共栄」の仕組みであるが、契約によってガバナンス（統治）を利かせることもできるため、最大のメリットを享受するのは当然ながらソリューションビジネスを仕掛けた張本人だ。

ソリューションビジネスの「二面市場戦略」

このように「攻めのオープンな（共創のための）知財戦略」は、競合が持たない事業・市場を取り込むことで、既存の市場における競争関係を超越し、市場シェアを一気に、破壊的に奪うことができる。ただ、「攻めのオープンな（共創のための）知財戦略」を実現するには、従来と技術開発の思想を変える必要が出てくる。ものづくり中心の事業では、基本的に自社が用いて自社が収益を上げるために様々な投資をしているが、ソリューションビジネスでは、パートナーの事業支援となるような技術開発への投資も重要になってくるからだ。

ここでもう一度、「攻めのオープンな（共創のための）知財戦略」についてまとめてみる。「攻めのオープンな（共創のための）知財戦略」では、提携先の事業の支援となるような知財をオープンに（利用を許可）することにより、提携先の事業を自らのソリューションビジネスに取り込み、1社では実現できないような顧客にとっての魅力を提供できるように（提携先との）共存共栄のエコシステムを築くことを考えることが前提となる。つまり、どういう新たなビジネスモデルを作るかを考える「ビジネス・アーキテクチャ（事業構築）」のプロセスが前提となるのだ。

知財をオープンにして（提携相手にとっての）提携の動機とすることにより、パートナーの事業・市場を自らの事業に取り込んだソリューション（商品やサービス）を構築し、顧客に対して新たなソリューションビジネスを提供できる。また、知財をオープンにすることに際して、提携先と知財の取り扱いを含む契約を締結するため、資本関係のない非ケイレツ企業に対して、提携によって生まれる知財などの成果物の取り扱いを縛ることができ、ガバナンスを利かせることができる。モノ売りからソリューションビジネスへと展開するための基礎、ツールとして知財が機能しているといえる。

複数の事業を取り込んだソリューションビジネスを展開するということは、従来の競合企業などが持たない新たな事業を持つことになるため、従来の競合企業と共通する事業・市場では利益を限界まで削り込んだ事業を展開することが可能となる。顧客にとっては利益を限界まで削り込んだ、低価格の商品・サービスは魅力的で好んで購入することになるから、ソリューションビジネスを展開する企業は競合などから市場シェアを一気に獲得することができる。一方、競合は利益が出ない事業を強いられて事業破壊を招くことになる。

これを「二面市場戦略」と言い、低価格戦略を使って競合から市場シェアを一気に奪うことができる。二面市場戦略は、いわゆるプラットフォーム戦略の前提となる戦略と言われており、近年、ＧＡＦＡＭなどの高収益企業が共通して採用する経営戦略の一つである。「攻めのオープンな（共創のための）知財戦略」により、提携先の事業（市場）を取り込むことができ、自らの既存事業（市場）での価格破壊を起こせるから、二面市場戦略をとることができるのだ。このように「攻めのオープンな（共創のための）知財戦略」は、収益性（ＲＯＥ＝自己資本利益率、ＲＯＩＣ＝投下資本利益率）を追求しつつ、かつ売り上げの成長にもつながるソリューションビジネス及びプラットフォーム戦略を展開するための基礎、ツールとして機能するといえる。

ところが残念ながら、ものづくりを中心に生きてきた多くの日本企業の経営者や幹部の中には、新たなソリューションビジネスの展開に、ここまで説明してきたような「攻めのオープンな（共創のための）知財戦略」が必要だという認識は乏しいと思われる。彼らの頭の中には、従来からの市場で競合他社と争うための「守りのクローズな（競争のための）知財戦略」しかないからだ。当然、「攻めのオープンな（共創のための）知財戦略」に欠かせない、パートナーの事業支援となる技術開発に力を入れる日本企業も、まだまだ少ないと言わざるを得ない。

ＩＢＭをはじめとする米国先進企業がソリューションビジネスに転換することを決めたのは、日本企業などとの戦いに敗れて経営危機に直面したがゆえに、やむなく知財を流動化させたことがきっかけだった。日本企業も１９９０年代以降の「知財敗戦」から学び、今後はソリューションビジネスへと舵を切るというのなら、提携先となるパートナー企業の事業支援に役立つような知財への投資を持続的に行い、「攻めのオープンな（共創のための）知財戦略」を実行することが必要となるだろう。

知財戦略に欠かせないIPランドスケープ

狭義と広義の2つの意味合い

日本企業が「知財敗戦」から脱却し、欧米流の「攻めのオープンな（共創のための）知財戦略」を目指す上で意識されつつあるキーワードが「IPランドスケープ（IPL）」だ。IPランドスケープとは、簡単にいえば企業などが「知財情報（特許情報が中心）を分析し、経営やビジネスの戦略に生かす」活動をいう。

2017年4月に特許庁が公表した「知財人材スキル標準（バージョン2・0）」において、知財関係の人材に求められる戦略レベルのスキルとして定義された用語であり、同年7月には日本経済新聞に記事として大きく取り上げられ、知財関係者はもちろん、一部の経営者や政府関係者などからも注目されるようになった。

日本においてIPランドスケープは、狭義と広義の2つの意味合いで使われている。狭義では「事業戦略を策定するために、知財情報（主に特許情報）を分析する手段（ツール）」のことをいい、広義では「そうしたツールを生かし、知財を重視した経営を目指す活動」を指すこともある。同スキル標準が日本で紹介されるまでは、主として欧州で専門的なツールソフトの開発が進んだこともあり、先進的な欧州企業での利用が始まり、その有効性が認識されてきたと考えられる。

前者の「知財情報（主に特許情報）を分析する手段（ツール）」としての有効性は、かなり日本でも知られるようになってきた。特許出願の件数は世界で毎年３５０万件もあり、自社の所属する業種におけるグローバルな技術トレンドを把握するのに最適である上に、自社の上流に位置する取引先や下流に位置する取引先の技術トレンドを調べることもできるから、顧客ニーズを探るためにも使える。

企業がソリューションビジネスを展開したいと考える際には、「攻めのオープンな（共創のための）知財戦略」としてパートナー企業を支援する知財が必要になるが、そうした知財が自社内にはなかったり、不足したりしていることもある。こうしたときにＩＰランドスケープを実施すれば、その技術や知財をもつ企業を探し出すことができるから、Ｍ＆Ａ（合併・買収）や資本提携の候補をリストアップすることにも使える。つまり「攻めのオープンな（共創のための）知財戦略」を追求する上でも欠かせないのがＩＰランドスケープだ。

海外メーカー買収を成功させたナブテスコ

ＩＰランドスケープで「攻めのオープンな（共創のための）知財戦略」を全社規模で実施した経験をもつのが、ナブテスコだ。２００３年にナブコと帝人製機が統合して誕生し、２０２２年度の連結売上高が約３０００億円、連結従業員が約８０００人の機器メーカーで、航空機、船舶、産業用ロボット、建設機械、風力発電など多種多様な機器・部品を作り、分野ごとの世界シェアが高いことが特徴だ。ナブテスコは２０１７年、ドイツの部品メーカー、オバロ社の全株式を約１００億円で取得した。

このＭ＆Ａの狙いは、モーターと制御装置の一体製品開発能力を獲得することにあり、ナブテスコの知的財産部はＭ＆Ａの２年前の２０１５年から、買収候補のオバロ社がどんな技術や特許をもち、特許の有効期限やどんな分野に強いのかをＩＰランドスケープの手法で詳しく調べ、経営陣に報告していた。さらにナブテスコの知財と照らし合わせ、Ｍ＆Ａによってどんなシナジー（相乗効果）が見込めるかも詳しく分析していた。

その結果、オバロ社の知財力は、ナブテスコの弱点であるモーターとソフトウエア設計の両分野を補うばかりでなく、ナブテスコが新規事業として検討していた自動運転分野への進出にも役立つことが判明した。ＩＰランドスケープによって、知財力の観点からオバロ社の買収は理にかなっていることが確認できたため、ナブテスコの経営陣はオバロ社の買収を決断したのだった。

このようにナブテスコの知財部が経営陣の信頼を勝ち得ていたのはなぜか。オバロ社の買収劇の3年前の２０１４年、知財部が「新規事業の探索、開発テーマの妥当性検証」と題したＩＰランドスケープをとりまとめ、経営陣に対して大々的に提言したことがあった。このときのテーマは、同社が進出を計画していた「洋上風車発電システム」だった。しかし、その調査対象は、自社製品や競合他社の製品に限ったものではなかったのだ。

ナブテスコの製品である風車の首振り機構であるヨーや、翼の角度調整機構であるピッチの駆動装置の分野の特許調査はもちろん、顧客である風力発電装置メーカーの製品、その顧客である風力発電事業者が運営する発電・送電システム、さらに洋上風車の運搬装置や保守点検などのサービス技術まで含めた「洋上風力発電システム全体」を対象として、日米欧中韓５カ国における十数万件の出願特許をすべて調査したのである。

その上で風力発電市場における「顧客」「顧客ニーズ」「技術課題」「メーカー」などを分析したデータベースを作り上げ、ナブテスコとして新事業に取り組む場合の可能性や妥当性を検証した。分析の例としては、洋上風力発電システムではＩＴによる状況監視や人工知能（ＡＩ）での故障検知が今後の顧客ニーズだと想定された。そのニーズを実現するにあたってナブテスコがどんな関連技術や知財をもち、それらをどのように活用できるかを分析するマトリックスマップを作成し、自社内の技術、知財を生かせる製品や用途、市場を探索し、各カンパニーに新事業の提案をしたのだった。

これは、自社の製品や事業を取り巻くバリューチェーン上に存在する、川上の企業や川下の企業のニーズの仮説を、ＩＰランドスケープによる分析によって組み立て、自社の知財をその支援に用いることを検討したということだ。まさに２０００年代以降の米国企業が編み出した、「攻めのオープンな（共創のための）知財戦略」の典型ということができる。

ナブテスコの知財部が、このＩＰランドスケープを当時の小谷和朗社長ら全経営陣・幹部の出席するグループ開発会議で発表したところ、小谷社長は「こんな（に気づきの多い）社内発表は初めてだ」と知財部を絶賛した。それまでの知財部は、特許を粛々と出願したり研究開発部門の下請け的な仕事をしたりしていた。発表の後、同社において知財部は戦略部門と位置づけられ、その地位は大きく向上した。

このプロジェクトを推進したのが、東芝やソフトウエア会社などを経てナブテスコに転入し、２０１３年末に同社知財部長に就任した菊地修氏だった。菊地氏はＩＰランドスケープを使い同社の新規事業の検討やＭ＆Ａに貢献しただけでなく、同社の意思決定の中枢にＩＰランドスケープと知財部を位置づけるという、いわば「知財ガバナンス」を社内に構築することに成功した。その経緯や成果は、改めて第３部で紹介することにしたい。

ＩＰランドスケープ実施で生き残った富士フイルム

さて、ＩＰランドスケープの２つめの定義である「手段としてのＩＰランドスケープを導入し、知財を重視した経営を目指す」という広義でとらえた場合も、企業に様々な気づきをもたらす可能性がある。重要なのは何も「攻めのオープンな（共創のための）知財戦略」だけではない。自社製品の差別化を図り、競合との厳しい戦いに勝つことや、会社が危機的な状況に陥った際、改めて知財活用を追求することも重要な知財戦略だ。

その意味では、ＩＰランドスケープで社内の「技術の棚卸」を進めて新規事業の開発に結びつけ、絶体絶命の危機を脱したケースとして有名なのは、富士フイルムホールディングス（ＨＤ）の事例だ。昭和初期から写真・映画フィルムの国産化をなし遂げ、20世紀中に米イーストマン・コダックと世界で写真フィルムのシェアを争ったが、２０００年代にデジタルカメラが普及したことで、主力商品が消滅する危機に直面した。なにしろ写真用カラーフィルムの需要は２０００年をピークに、10年で10分の1に縮小してしまったのだ。

富士フイルムＨＤは生き残りのため、写真メーカーだった時に蓄積した膨大な技術を生かし未知の業界に参入するのみならず、「その業界でナンバーワンになれるか」というテーマを掲げてＩＰランドスケープを実施した。そうした分析の結果、実を結んだのが、写真フィルム製造技術で用いる「微粒子制御技術」と「コラーゲン技術」を生かした化粧品分野への参入だった。

写真フィルムに用いるコラーゲンには、水分を保持する機能や弾力を維持する機能などがあり、同社にはコラーゲンに関する膨大な技術の蓄積があった。この技術を応用してスキンケア化粧品「アスタリフト」シリーズを生み出した。ＩＰランドスケープを用いて他業界でも通用する自社の技術的なブレークスルーを早期に見いだし、自信をもって化粧品事業に参入することができたのだ。

このようにＩＰランドスケープは、①Ｍ＆Ａや事業提携先の探索②新規事業の模索③会社が将来なりたい姿から現在の姿をバックキャスティングし、足りない技術や知財を割り出す④自社のもつ知財やビジネスモデルを根拠に投融資を受ける――といった使い方が可能だ。特にＩＰランドスケープで「攻めのオープンな（共創のための）知財戦略」を追求するなら、ツールとして使いこなすだけでなく、その分析結果を基に、経営陣や事業部門長などに的確で説得力のある提案ができる「ビジネス・アーキテクト」と呼ばれる人材の育成がカギとなる。この点は、この後、詳しく説明する。

「守りのクローズな知財戦略」における高度な戦い

差別化とリスク低減の両立

人材の重要性は、従来の「守りのクローズな（競争のための）知財戦略」においても同様だ。自社の研究開発部門、事業部門などで生まれた発明やアイデアを磨きあげ、強い特許やその他の知財として権利化し、自社製品やサービスの競合他社との差別化を図り、他社との特許紛争のリスクを低減する。必要ならば権利行使をし、訴訟で戦う。これらは、ものづくり中心だった時代からの知財戦略の基本であり、今も、なお重要だからだ。

競合との差別化を考えて、特許を取得するか、ノウハウとして秘匿するか、意匠権及び商標権を取得するか、あるいは、これらの混合で、どう製品・サービスを守るかという観点で知財戦略を策定する。自社や他社の将来のビジネスも構想し、発明をどう精選、拡張して磨き上げるか。競合から仕掛けられる非侵害や無効の主張を想定し、訴訟や交渉で耐えられるように特許請求の範囲の表現（クレーム・ドラフティング）を考えるなど、強い知財を取得するには専門家のスキルがますます重要となる。

経営戦略の観点から、取得した特許などについて、バックキャスト的にどう差別化や特許リスク低減に利いているのかを評価した上で、ＲＯＥ（自己資本利益率）やＲＯＩＣ（投下資本利益率）など自社の収益力、ＣＡＧＲ（年平均成長率）など売り上げの向上につながっているのかを整理して評価する必要がある。

その評価の結果は、企業と投資家の間での知財・無形資産に関する対話（エンゲージメント）に利用することが期待される。このように知財を財務指標と結びつけて説明することをこれまで企業は意識してこなかったが、近年、投資家側から財務指標と結びつけて説明することを企業は強く求められている。

また特許戦略として、差別化と特許紛争のリスク低減という両者を達成するには、適切な特許の出願戦略、権利行使、交渉戦略が必要となる。特許の出願段階において、特許訴訟や無効審判といった紛争リスクを解消する上で重要なのは、競合製品を想定して利用される可能性の高い技術・発明を選択し、主要な競合（特許を巡って争う確率の高い企業）ごとに少なくとも5件の「戦える特許（5 Fighting Patents）」の取得を目指す「５ＦＰ」活動がある。少なくとも5件との理由は、非侵害や特許無効の主張が相手からされた場合でも5件以上あれば耐えられるという経験則からだ。

一方で、競合が利用する可能性が高くはないが、商品・サービスの差別化のために取得する特許については、できるだけ他社の特許取得ができないように、強固な特許網を構築する必要がある。さらに特許出願後は、競合の製品・サービスの発表を注視して、競合が差別化の特許網の範囲に踏み込んでくる恐れがある場合は、警告など適切な権利行使を行い、差別化の状態を維持する必要がある。競合が差別化の特許網の範囲に踏み込んできたタイミングでの権利行使が、差別化を維持する上で重要となる。

ただし、権利行使する場合に競合から反撃を受けることが多いので、競合が使用する可能性の高い特許を別に保有しておくことで、競合とのクロスライセンスに持ち込み特許紛争リスクを解消する。このクロスライセンスの契約では、「差別化の特許やその技術領域はクロスライセンスの除外とする」との条項を加えておく必要がある。これにより、特許戦略の本来の狙いである、差別化と特許リスク低減の両方が達成できる。医薬など「1製品1特許」で収益を確実にできる分野を除き、その他の分野では1製品、1サービスに複数の特許が存在するため、差別化と特許リスク低減の両者を達成するための特許戦略が重要となる。

トヨタと日立の知財戦略

「守りのクローズな（競争のための）知財戦略」の事例でみると、トヨタ自動車の知財戦略は、決して知財収入を目的とするものではないといえる。事業の売り上げが大きいと競合から侵害として訴えられた場合の被害として想定される金額（エクスポージャー）が大きくなり、競合に積極的に特許を権利行使して攻めることよりも、事業リスクを低減するためにカウンターで反撃できる特許をしっかり確保できているかどうか、さらに競合の特許を侵害していないかどうかのクリアランス対応、つまり「守りの知財戦略」の方が重要になる傾向がある。

例えばトヨタグループの２０２１年の世界販売台数は１０３８万台で、ＢＭＷグループが２５２万台だ。お互いに侵害する特許が存在していた場合、権利を行使すると双方の知財力が互角で1台当たりのライセンス料を１０００円とすると、販売台数が約８００万台多いトヨタ側がＢＭＷ側に80億円の差額を払う必要が生じてしまう。したがって、トヨタのような事業売り上げが高くシェアも高い企業は、競合に積極的に特許を権利行使して攻めることよりも、事業リスクを低減するためにカウンターで反撃できる特許をしっかり確保しておき、競合とはクロスライセンス契約を結んで紛争を避けたり、競合の特許を侵害していないことを確認する知財クリアランスの対応をとったりする方が、重要になってくる。

一方で、日立製作所の知財戦略では、２０００年辺りより「５ＦＰ」として競合に攻める特許の取得・侵害発見・活用を知財部門全担当者で積極的に行っていた。その結果、当時の日立には年間、数１００億円の知財収入があった。しかし、当時の日立は事業売上やシェアなどの存在感では現在よりはるかに低迷していた。あえて言うと低迷していたからこそ、競合に対する特許の権利行使を積極的に行うことができ、その結果、高い知財収入を得られていたともいえる。

このように、「守りの（クローズな）知財戦略」においては、事業売り上げやシェアなどその企業が業界で置かれた立場、存在感によって、知財の権利活用を積極的に行うか、守りに専念し事業リスクを低減するかに対応は分かれるのだ。

日本企業が「攻めのオープンな知財戦略」を取り込めない理由

重みを増す「攻めのオープンな知財戦略」

ここまで見てきたように、知財戦略には大きく「守りのクローズな（競争のための）知財戦略」と「攻めのオープンな（共創のための）知財戦略」がある。１９９０年代までは欧米企業、日本企業とも「守りのクローズな（競争のための）知財戦略」に専念していた。しかし、それでは日本企業に勝てなくなった欧米企業が試行錯誤の中で２０００年ごろまでに「攻めのオープンな（共創のための）知財戦略」を編み出し、中国や台湾、あるいはインドといったアジア企業と共存共栄の関係を作り上げ、２０２４年の現在に至るまで、ソリューションビジネスで再び世界を席巻してきたのである。

一方、日本企業がグローバル競争を生き抜くために「攻めのオープンな（共創のための）知財戦略」を取り込めなかったのは、なぜなのか。1990年代まで、日本企業は優れたコスト削減とカイゼンによるものづくりで、圧倒的な優位を確保していた。そのことがかえって転換の足かせとなったのだ。すり合わせ技術を前提とするものづくりでは、1社で対応することが強みだ。そのために自社内、グループ内の閉じた環境の中で研究開発を進め、独自のノウハウを磨き、「守りのクローズな（競争のための）知財戦略」を追求することが適切だったからである。

しかし2000年以降、グローバル競争を勝ち抜くためのポイントは、強みに特化したパートナー企業と共存共栄の「エコシステム」を構築し、1社では実現できないビジネスを創造することがカギとなっていった。IT（情報技術）の発達により製品はモジュール化され、複数の企業による設計・製造が可能となり、ものづくり中心からサービス中心、もの売りビジネスからソリューションビジネスに転換していった。

強みに特化した複数の会社が提携し、それを持ち寄って構築した「エコシステム」によって提供されるソリューションビジネスには、いくら頑張っても1社で対抗することは不可能だ。無数の店が集まるアマゾンのサイトが提供する消費者にとっての利便性を、いくら巨大にしても単一の百貨店やスーパーが提供することはできない。そして知財戦略では、競合と競うための「守りのクローズな（競争のための）知財戦略」ではなく、エコシステム構築のための「攻めのオープンな（共創のための）知財戦略」の重みが増したのである。

前述の通り、欧米の主要企業は２０００年以降、多くの業界でものづくり事業からソリューションビジネスに転換することを目標に掲げ、事業転換を図った。ＩＢＭのように日本企業に圧倒された結果、ビジネスを転換せざるを得なかったからだ。しかし１９６０年代から１９９０年代までものづくりで圧倒的な優位を確保した日本企業には「自前主義」の考え方が強く、１社で実現できない速度・レベルでの技術開発と事業開発を進めるオープンイノベーションの発想は生まれなかった。その結果、欧米企業がソリューションビジネスに転換した電機・ＩＴ業界で、逆に日本企業が徹底的にシェアを奪われる結果となってしまったのだ。

シャープが経営危機に陥った理由

例えば２０１５年に危機に陥ったシャープは、台湾の鴻海精密工業の傘下に入った。鴻海は２０１６年に総額３８８８億円を出資してシャープの筆頭株主となり、その主導でシャープの経営改善が急ピッチで進められていった。鴻海率いる戴正呉（たいせいご）社長のもとで徹底したコスト削減と業務の効率化が行われた。

具体的には、テレビや白物家電の生産の一部を鴻海に移し、物流を鴻海グループと統合。太陽電池の赤字の主因の一つだった割高な原料調達契約も見直された。こうした経営立て直しの結果、シャープの業績は立ち直り始め、２０１７年４～６月期は７年ぶりの最終黒字に転換した。株価も1年前の約4倍もの水準に回復した。

これは想像になるが、筆者（林）は、シャープが危機的状況に陥る前に、自ら「攻めのオープンな（共創のための）知財戦略」を経営に取り込むことができていたら、そもそも同社はあのような経営危機に陥らなかったと推測する。その上でシャープが自ら鴻海に製造と販売を委託する戦略的な提携を提案し、実行するという「同じ結果」になっていただろうと考える。

この場合、シャープの知財戦略としては何が必要だったのか。シャープには、そのブランド以外にも保有する技術・知財の中に、鴻海が欲しがり鴻海の事業に役に立つものが恐らくたくさんあっただろう。だからシャープはそうした技術・知財を鴻海に提供することを自ら提案し、それを提携の動機として鴻海側のもつ製品の製造力と販売力を、シャープのビジネスモデルの中に取り込むという自らが主導する「戦略的提携」が可能だったかもしれないのだ。

ＩＰランドスケープだけでは、知財と経営は融合しない

提携先選定には有効

日本企業が２０１７年ごろから知財情報（主として特許情報）を分析して経営判断に生かすＩＰランドスケープに注目し、導入を進めていることはすでに述べた。ただ、ＩＰランドスケープを駆使するだけでは、「攻めのオープンな（共創のための）知財戦略」を経営判断に取り込むには十分ではないという理由を今から説明する。

そもそも「攻めのオープンな（共創のための）知財戦略」は、知財をオープン化（提供）することにより、提携候補先との提携の動機を作り、１社では実現できない顧客にとっての魅力を創出することが狙いであり、その企業が事業戦略を策定するアプローチに取り込まれるプロセスが前提になる。その事業戦略を遂行するために、必要な技術や販路、資源などをもつ他企業と提携し、共存共栄の「エコシステム」を築かなければならない。提携候補先を事業に参加させる動機付けとして、自社の魅力的な知財を提携先に提供し、相手の事業を支援するといっ

た姿勢もみせなければならない。

その事業戦略の策定のアプローチは、まず提携したい企業の選定から始まる。その企業へ製造委託することで製造コストを大幅に削減できるか、その企業の販売チャネルを借りることにより一気にシェアを獲得できるか、といった現在の事業の効率化を図る観点もあるだろう。あるいはサービスや調達など他の事業を取り込み、ソリューションビジネスの展開を目指す観点から提携候補先を選定・リスト化することもあるだろう。

そして、その提携したい候補先企業の側に立ち、自社と提携したいと考えるような技術・知財を想定し、提携の動機を構築できるかを検討する。この動機となる技術・知財は、基本的には提携候補先の事業の支援となるような技術・知財であり、例えば提携候補先の顧客のニーズを調査して把握する必要がある。ここで、先にナブテスコの事例で紹介したようなバリューチェーン上の川上、川下の企業まで含めた大規模なＩＰランドスケープを実施することで、提携候補の選定に役立てることができる。

ちなみに、提携の動機となる技術・知財が社会課題を解決できるものであったり環境技術であったりした場合、近年はサステナブル（持続可能な）経営という観点から双方にビジョンが共有されやすく、提携の動機となりやすい。サステナブル経営の観点から技術開発や知財の開発を行う必要性が高まっているのは、事業上のエコシステム構築の際に提携の動機として取り上げやすいとの期待が高まっているからともいえる。

一方、そうした魅力的な知財が社内には存在しない場合もある。そのときには、他社をＭ＆

❸競争優位を支える知財・無形資産の維持・強化に向けた戦略の構築	❹戦略を着実に実行するガバナンス体制の構築
■自社の強みとなる知財・無形資産の維持・強化に向けた投資戦略の構築（損失リスクへの方策も考慮） ・今後必要となる知財・無形資産の投資の検討 ・知財・無形資産を保護するための方策の検討（他社による侵害への対応など） ■知財・無形資産の維持・強化に向けた戦略について、客観的説明や定量的KPIに落とし込む	■知財・無形資産の投資・活用戦略の構築・実行に向けたガバナンスの仕組みを構築する ・社内の関係部門が横断的かつ有機的に連携し、取締役会による適切な監督が行われる体制を構築 ・あるべき取締役会の監督体制を検討する（知財・無形資産の投資・活用戦略を投資家・金融機関に説得的に説明できる骨太な議論へと昇華させる意義を考慮）
■事業戦略・提携戦略と知財戦略が融合しきれていない	■経営投資判断へのプレゼンがうまくいっていない
◆事業開発部門と知財部門との連携・❶❷の課題を解決したうえでの事業戦略などへの知財戦略の意義の説明	◆左記と同様

Aしたり、その技術をもつスタートアップ企業と技術提携したりして、自社の大きな戦略に必要な知財を入手するケースもあってよい。この技術提携先の候補を探し出すにも、グローバルな技術トレンドをカバーするIPランドスケープが有効なことはいうまでもない。

　こうして外部から入手した知財をも駆使して、事業提携先にとっても魅力的な共存共栄のエコシステムを築き、1社では実現できないような顧客価値を創造したり、社会課題の解決を実

図表7　2021年のCGC改訂に伴う企業対応プロセス

	❶現状のビジネスモデルと強みとなる知財・無形資産の把握・分析	❷知財・無形資産を活用したサステナブルなビジネスモデルの検討
CGCで求められる企業対応プロセス	■自らのビジネスモデルを検証し、以下について把握・分析 ・なぜ知財・無形資産が自社の経営に必要か ・自社の競争力や差別化の源泉として強みとなる知財・無形資産（IPランドスケープなどを活用する） ・価値創造やキャッシュフローの創出への知財・無形資産の貢献	■知財・無形資産を活用し、サステナブルな企業価値の向上につなげるビジネスモデルの検討
IPLの課題・解決策	■特許情報だけでは仮説を検証しきれない	■事業戦略・提携戦略と知財戦略が融合しきれていない
	◆財務情報も分析に加える ◆有識者インタビューを実施して検証の確度を高める	◆知財活用によるエコシステム構築を事業戦略・提携戦略に加える

現したりするソリューションビジネスに組み込んでいく。なお通常、他の事業会社と実証研究したり共同開発したりした成果物は、自社の事業のみへの利用に制限されることが多い。したがって、知財を入手するための「技術提携」と、それを利用してエコシステムを築くための「事業提携」とは、分けて考えることが重要である。

　図表7は、2021年6月のコーポレートガバナンス・コード（CGC）改訂に伴って、内閣府が策定した「知財・無形資産ガバナ

ンスガイドライン」などが企業に求めている対応のプロセスである。事業戦略の策定のアプローチでは、①現状のビジネスモデルと強みとなる知財・無形資産の把握・分析を行い、②知財・無形資産を活用したサステナブルなビジネスモデルの検討を行った上で、③競争優位を支える知財・無形資産の維持・強化に向けた戦略の構築を行い、④戦略を着実に実行するガバナンス体制を構築する――という手順を奨励している。そしてプロセスの過程で、企業がＩＰランドスケープを活用することを奨励している。

ＩＰランドスケープだけでは不十分な領域

しかし、上記のプロセスのすべてにおいてＩＰランドスケープが有効かといえば、違うと言わざるを得ない。確かに①のステップ「現状のビジネスモデルと強みとなる知財・無形資産の把握・分析をする」には、ＩＰランドスケープによって毎年グローバルで約３５０万件ある特許情報を分析し、グローバルな技術のトレンドを把握することは非常に有効だといえよう。事業提携先に差し出す技術・知財を保有しているスタートアップや事業会社を「技術提携先候補」として探し出すこともできるだろう。

しかし、②のステップ「ビジネスモデルの検討」や、③のステップ「競争優位を支える戦略の構築」にあたっては、ＩＰランドスケープで把握した技術トレンドやニーズの仮説だけでは不十分だ。現実には、知財部などがＩＰランドスケープを経営陣に発表した場合に「戦略的投資を判断する材料としては弱い」と判断、却下されてしまうことが多い。

企業が戦略的投資を判断するには、顧客のニーズや商流構造などの情報も欠かせないからだ。したがってビジネスモデルの検討や戦略構築の際には、対象となる市場の商流構造にいるプレーヤーなどの有識者に詳細なインタビューを行い、ニーズなどの検証を行った上で技術開発や事業開発の投資の方向性を示すことが、経営陣への提案では必要と考えられる。

日本企業の知的財産部門などがＩＰランドスケープを使いこなし、技術的なトレンドやニーズを基に技術提携候補などを提案できるようになれば、従来よりも戦略的な地位を占めることができる可能性はある。だが、それだけでは足りない。新たな事業戦略を提案するには、知財分析の能力に加えて、対象市場の商流に存在するプレーヤーの声やニーズをつかみ、現在ではグローバルな地政学的リスクや経済安全保障といった幅広い分野への問題意識やインテリジェンス（情報）機能を備え、全社的な視点をもって経営陣に提案できる力量と胆力が求められるのである。

知財戦略を経営に取り込む「ビジネス・アーキテクト」がいない

2010年代に登場した新しい役割

ほかにも日本企業が知財戦略を生かし、事業戦略策定などの経営革新に取り組むには大きな課題がある。致命的なのは、その能力を備えた「ビジネス・アーキテクト」といえる人材が社内に少ないか、ほとんどいないのである。独シーメンスなど先進的な欧米企業では、事業開発部門に「ビジネス・アーキテクト」と呼ばれるメンバーが存在する。先に述べた企業の新たな「ビジネス・アーキテクチャ（事業構造）」を考案するのが仕事だ。

ビジネス・アーキテクトとは、「ビジネスモデルを設計する人」であり、顧客にとって新たな価値を創出するために、自社の既存事業を再編したり取引先を取り込んだりしてビジネス全体を再設計し、どうやってソリューションビジネスを展開するかを設計することが役割である。既存事業の製品・サービスの効率化（オペレーションの効率化）の役割を担うメンバーとは、そもそも異なる役割の担当者・責任者がいるということである。

すでに述べてきたように、ソリューションビジネスを組み立てる場合には他社との提携が必要となり、提携戦略を考える必要があるため、このビジネス・アーキテクトが「攻めのオープンな（共創のための）知財戦略」をよく理解し、エコシステムを構築するための提携の動機としてうまく知財を活用する手法・戦略を考案し、ソリューションビジネスを実現している。

つまり企業がソリューションビジネスなど新たな事業戦略を展開するには、ビジネス・アーキテクトが活躍することが肝であり、「攻めのオープンな（共創のための）知財戦略」を駆使したり、エコシステムを構築したりして、ビジネスデザインに取り組んでもらう必要がある。

ところが、この「ビジネス・アーキテクト」という言葉は、日本での知名度は皆無といってもいいほど知られていない。「ＩＴアーキテクト」であれば、少ないとはいえ、日本でもそんな肩書をもつ人をたまに目にすることがある。しかしビジネス・アーキテクトには、まったくお目に掛かることはない。そもそもグローバルでも新しい役割であり、仕事だからだ。

会社内の個別プロジェクトの実行を担う「ビジネスアナリスト」と呼ばれる仕事が２０００年代くらいから普及し始めたのに対して、企業の事業戦略のプログラム全体の指揮をとるビジネス・アーキテクトは、欧米先進国でも２０１０年前後に登場した仕事である。ビジネス・アーキテクトは、まだ海外でも普及途上にある仕事、役割なのだ。

企業が顧客にとって魅力的なソリューションビジネスを効果的に進めていくためには、事業単位ではなく複数の事業をまたぐ「ソリューションの単位」で変革を進め、企業内の各組織や外部の企業との連携の実現が必要になる。まずビジネス・アーキテクトは、こうしたソリューションビジネスの全体像を描くことが役割となる。

またビジネス・アーキテクトは、社外企業との連携の実現に必要な技術・知財は何かを検討し、それが自社の内部や人材にない場合は、スタートアップ企業や競合企業との提携というオープンイノベーションによってその技術・知財を取り込み、取り込んだ技術・知財を事業提携候補に対する提携の動機付けとして活用することを考える。その結果、提携先から製造や販売のほかソリューションビジネスに必要な能力を自社の事業に取り込む。事業の最終ゴールから必要な技術・知財の開発戦略を組み立てて、ビジネスをデザインするのだ。

変革人材がいない日本

日本のほとんどの企業では、このような役割を担うことのできる変革人材といえる、ビジネス・アーキテクトを育てていない。さらにエコシステムを構築するために必要な「攻めのオープンな（共創のための）知財戦略」のスキルをもつ人材も不足しているのが現状だ。このような人材と仕組みを整備するには、既存の組織では無理で、社長など経営トップ層の直轄プロジェクトとして実施する必要がある。

日本企業がソリューションビジネスへの変革を遂げ、復活するためには、経営陣や幹部自身がビジネス・アーキテクトとなるのが理想だが、それが難しければ、経営陣や幹部を「参謀」としてサポートできるビジネス・アーキテクトを育成しなければならない。日本企業は経営者が先頭に立ち、「攻めのオープンな（共創のための）知財戦略」をも把握したビジネス・アーキテクトという役割を念頭におき、企業変革を担う人材を育成すべきである。

日本企業の経営者には、従来型のものづくり事業で成果を上げた人が多い。そうした経営者は「知財は大事だ。知財の重要性は分かっている」といっても、知財を「競合に対抗するツール」「競合を牽制するツール」と見がちだ。これは20世紀に日本企業が欧米企業に使って成果を上げた「守りのクローズな（競争のための）知財戦略」の発想なのだ。

この「守りのクローズな（競争のための）知財戦略」が引き続き有効な場面もあるが、より重要度が増している、新たな事業戦略のためのエコシステム構築に必要な「攻めのオープンな（共創のための）知財戦略」の意義は理解できていない経営者がほとんどだろう。経営層が知財戦略を本当の意味で理解していないと、ビジネス・アーキテクトが知財戦略で果たす役割とそのための人材育成を軽視してしまいがちなのは、当然だろう。

マイクロソフトは知財担当をバイスプレジデントに起用

この点、「攻めのオープンな（共創のための）知財戦略」を試行錯誤してきた欧米先進企業には一日の長がある。例えば米マイクロソフトでは、２００３年当初から知的財産担当であるマーシャル・フェルプスをバイスプレジデントに抜擢し、オープンイノベーションの時代に他社とより良い関係を築くために知財戦略を方針転換して、他社との提携の動機に使えるような知財ポートフォリオを構築する戦略を実行してきた。これによりマイクロソフトは、東芝、富士通などの日本企業を含む多くの企業とのエコシステム構築を実現し、ソリューションビジネスへの転換を果たした。

最近もマイクロソフトはクラウドサービスの「アジュール」で、ソフトウエアの開発と運用を支援する仕組みを提供している。アジュールを使って利用者が生み出した知財については、マイクロソフトが２０１８年に発表した「シェアード・イノベーション・イニシアティブ」の考え方が示されており、利用者はその知財権を所有し、他のプラットフォームへの移植も自由に行えるようになっている。一方で、シェアード・イノベーション・イニシアティブにはマイクロソフトへのライセンスバック（利用者の知財をマイクロソフトも利用できる）の条項が記載されており、マイクロソフトは得られた知財を「アジュール」「オフィス」「ウィンドウズ」などの機能改善に限って活用できる。

ユーザーは自社の知財の権利を失うことなく、マイクロソフトからのサポートを受けられることから開発エコシステムが構築され、マイクロソフトもプラットフォームの開発を加速できる。マイクロソフトは「攻めのオープンな（共創のための）知財戦略」を実践し、ソリューションビジネスを実現できているのだ。

特許＝リスクだという発想から抜け出せない

「事業開発プロジェクトには知財部門は入れたくない」

ここまで述べてきた通り、2000年代を境にグローバルな知財戦略の潮流は、大きく2つの方向に発展している。「守りのクローズな（競争のための）知財戦略」は、既存のものづくり、個別製品の差別化を図るツールとしての機能を引き続き保つ一方、「攻めのオープンな（共創のための）知財戦略」は、新たなソリューションビジネスを展開するために他社と共存共栄のエコシステムを構築する手段として注目され、それぞれ事業の収益性に影響を与えるようになっている。

しかし、この潮流をしっかりと認識できている日本企業は非常に少ないと言わざるを得ない。経営者や既存事業の関係者はもちろん、経営企画部門や知財・法務部門といった経営サポート部門の関係者でも、「攻めのオープンな（共創のための）知財戦略」と「守りのクローズな（競争のための）知財」の区別と意義とを明確に意識し、対応できている企業は例外的といっていい。経営者や中核幹部がこの「知財戦略の大きな潮流」を認識できていないと、企業は誤った戦略、行動をとりかねない。

例えば、既存事業が限界を迎え、他社と共存共栄のエコシステムを構築してソリューションビジネスに転換すべきタイミングを迎えている企業であるにもかかわらず、その経営陣や経営のサポート部門が意識し、知財部門が遂行しているのは、相も変わらず既存事業で有効だった「守りのクローズな（競争のための）知財戦略」であったりする恐れが高い。

つまりせっせと研究開発し、コストをかけて権利化している知財が、従来の製品ごとの差別化や競合他社に対する牽制にしか使われず、肝心の会社の事業変革、ソリューションビジネスの追求には使われないという事態だ。分かりやすい例が、先にも触れた、世界一の液晶技術を誇り、高品質の薄型テレビに対する莫大な投資を続けたにもかかわらず、経営危機に陥り台湾の鴻海精密工業の傘下に入った２０１０年代のシャープだろう。

著者（林）も経営コンサルタントとしての立場で、企業の事業開発をご支援する中で、こんな生の声を聞くことがある。あるクライアント企業が事業変革を指向し、ソリューションビジネスの開発を進めている。そんなときに、知財部門が「ＩＰランドスケープ」と称して競合他社の特許の調査・分析を大量に進めてきて、それを開発中のソリューションビジネスに当てはめ、「競合他社の特許を侵害しかねない」とリスクを強調し、開発中のソリューションビジネスの修正を要求するという。そんな知財部門をみて他の部門の人は「だから事業開発のプロジェクトには知財部門のメンバーは入れたくない」と思うのだという。

本来は「攻めのオープンな（共創のための）知財戦略」の観点から全社的な事業変革を支える立場の知財の専門家が、従来の「守りのクローズな（競争のための）知財戦略」に固執するあまり、事業変革の妨げになってしまっている。会社にとって不幸であり、残念な知財部門だと言わざるを得ない。

こんな批判を浴びないためにも、知財部門はＩＰランドスケープと称して分析活動する場合に、「知財は経営戦略・事業戦略に関与できる」と自己主張するだけでなく、事業開発の責任部門に対して「攻めのオープンな（共創のための）知財戦略」によって知財は他社との共存共栄のエコシステムの構築にも使うことができるので、事業変革に向けて連携していこうと呼びかける必要があると考える。

トップダウンで推進した古河電工

経営者や経営企画部門など会社の中核サポート部門でも、今、知財戦略には競合とのリスクを軽減する「守り」の面だけでなく、異業種やスタートアップを含めた外部との共創事業など変革のチャンスを増やす「攻め」の面があるという大きな流れを知る必要がある。それだけでも、会社の知財戦略への取り組み姿勢は大きく変わる。それを示す事例として、近年に「知財先進企業」として頭角を現してきた古河電気工業の事例を挙げる。

古河電工は創業１３０年を超える日本のレジェンド製造業のひとつだが、２０１７年に就任した小林敬一社長（２０２３年４月に代表取締役会長に就任）は元研究者として特許や知財の重要性を認識し、「知財は戦略のど真ん中」と社内外に発信している。そして最近は「守りの知財でリスクミニマム（リスクを最小化）、攻めの知財でチャンスマキシマム（チャンスを最大化）を実現しよう」と言い始めており、同社が最新の知財の潮流を踏まえた対応をとっていることを示唆している。

古河電工のように、トップ自らが大きな意味での知財の潮流を理解していることは、その傘下で活動している知財部門や経営企画部門が正しいインプットをトップや経営陣に実施していることを示すものであり、全社の事業変革に大きなプラスの影響を与えることはいうまでもない。第３部で詳しく述べる「知財ガバナンス」の構築とも関連してくるが、経営者と中核的な経営サポート部門（経営企画、知財、法務など）、各事業部門などが「知財・無形資産」の重要性を理解し、それを経営に生かすための仕組みが企業に育まれていることが求められる。

以上、ここまで第１部では知財を巡る世界の歴史と潮流、そして現在は日本が「知財戦略で負けている」ことについて述べてきた。日本が復活するためには、現在の潮流である「守りのクローズな（競争のための）知財戦略」と「攻めのオープンな（共創のための）知財戦略」を正しく理解し、それを生かす具体的な体制づくり、人づくりが非常に重要だ。このことについて第２部で詳しく述べていく。

日本は明治維新後、アジアの国として初めて近代工業国家への脱皮を果たし、敗戦により底辺まで落ち込んだが、再び高度成長を遂げて世界で最も豊かな国とも言われた。それを陰で支えたのが、日本企業が１９８０年代までの30年間推し進めた知財戦略だった。しかしその後、２０２０年までの約30年間、日本企業は知財戦略を更新することを怠り、敗北した。今こそ、多くの経営者、企業関係者が新しい知財戦略に目覚め、遂行し、再び日本を豊かな国へと導くタイミングとしなければならない。

第2部

これが本命「攻めのオープンな知財戦略」

第1章

「攻めのオープンな知財戦略」とは何か

BEST MANAGEMENT LEVERAGING INTELLECTUAL PROPERTY

知財戦略には、攻めと守りがある

競争を阻害するものから、競争を促進する存在へ

知的財産はイノベーションの源泉であるという企業における認識は、今も昔も変わらない。ただ、２０００年代ごろまでの従来の日本企業は自社や系列企業のみで事業開発を行い、自社の技術資産をグループ内部に囲い込み、守ろうとする傾向が強かった。

しかし、顧客ニーズが複雑になり、データの活用が進展し、先端技術や優れたサービスを有するスタートアップ企業が台頭してきたことを背景に、従来の日本企業の囲い込みのアプローチではグローバルな競争力を保つことが難しくなった。

そこで近年では、特に米国企業が先行したオープンイノベーション、つまり系列外の企業やスタートアップ企業などを巻き込み、事業上の共存共栄の生態系「ビジネス・エコシステム」を構築することを前提としたビジネスモデルが主流となりつつある。またＤＸ（デジタルトランスフォーメーション）が加速しており、ＤＸによって様々な業種で発明が生まれるようにな

り、知的財産に対する投資の重要性はさらに増している。

２０００年代までの日本、また米国を含めた世界各国の企業でも１９９０年代くらいまで主流だったのは、第1部で紹介したいわゆる「守りのクローズな知財戦略」だった。これは自社で研究開発に取り組み、その成果を特許などの知財として権利化し、その知財を使って製品やサービスの面でライバル他社と差別化することが主な狙いだ。また、ライバル他社から「特許侵害だ」などと訴えられないように、自らも知財で守りを固めることを目的とする。

だから「守りのクローズな知財戦略」では、自社で手掛ける事業の中で用いる自社の製品・サービスに用いる特許を積極的に出願・権利化することに力を入れる。同じ業界のライバル他社の製品・サービスとの差別化を図る。またライバル他社の特許に抵触してしまったときなどに備えて、反撃に使える「カウンター特許」を蓄えることなどに努めていた。

一方、近年になって系列外企業とのオープンイノベーションが重要になるにつれて、自社が出願・獲得した知財を提携先など他社に開放（オープン化）することにより、その提携先と取り組む事業で他社との競争をあえて促進して、大きな意味で経営環境を自社に有利に導く「攻めのオープンな知財戦略」が重要性を増している。

従来の「守りのクローズな知財戦略」においては、特許などの知財を獲得する目的は、ライバルとの激しい競争を避けるためだった。つまり知財は「競争を阻害する」機能を果たしていた。しかし「攻めのオープンな知財戦略」では、知財を従来とは逆方向の目的に使う。つまり知財は、特定の事業（市場）の領域の中で「競争を促進する」役割を果たす。

自社の知財をオープンにして提携先の系列外企業に無償や非常に安価で提供し、その系列外企業に有利な事業ができる機会を与え、特定の事業領域で競争を促進させる。それによって自社（あるいは系列内部）では実現できないレベルの競争が可能になる。顧客に対しては自社（あるいは系列内部）では実現できないレベルの「価値」を提供することができる。

これらのことは後に詳しく説明するが、「攻めのオープンな知財戦略」では、知財が「競争を阻害するツール」から「競争を促進するツール」へと使い方が変化するのだ。

だから「攻めのオープンな知財戦略」を使えば、伝統的で成長の止まった事業でライバル他社と消耗戦を繰り広げ、成長が鈍化してしまっているような企業でも、まったく別次元といえる「稼ぐ力」を得て、それを持続的に保つことも可能になる。成長が止まっている企業や、さらに成長を目指す企業は、系列外の企業と提携して共存共栄の仕組みである「ビジネス・エコシステム」を構築し、自社では実現できない成長と顧客にとっての魅力を生み出すために「攻めのオープンな知財戦略」を採用すべきだ。

そのためには企業は従来の系列内での技術、特許、ノウハウの取得だけでなく、系列外のパートナー企業の事業を支援するための技術、特許、ノウハウも開発し、それを提携先に無償、あるいは非常に安価で提供（実施許諾＝オープン化）することに努めるべきだ。従来の研究開発投資の考え方とは異なるが、その意義は非常に大きい。

後に詳しく述べるが、「攻めのオープンな知財戦略」を使えば、系列内では実現できないレベルの製造コストの削減ができる。特定の事業領域での飛躍的なシェアも獲得でき、顧客に魅力的に映るソリューションビジネスを提供できるようになる。さらにエコシステムを構築するパートナー（候補含む）を複数もつことで、ビジネスにおける交渉力をも強化できて、サプライチェーン（供給網）の分散化や経済安全保障に対応することも可能となる。

高まる「攻め」の重要性

第1部も含めてすでに述べてきたが、ここでもう一度、知財戦略を類型化すると、従来からの「守りのクローズな知財戦略（ライバル企業に対する戦略）」と、近年、重要になっている「攻めのオープンな知財戦略（系列外企業などとビジネス・エコシステムを構築するための戦略）」に大きく分けることができる。

いわゆる「守りのクローズな知財戦略」とは、ライバル他社を意識した知財戦略だ。例えば化学業界など、その素材などを1社の特許やノウハウで独占することを実現しやすい業界では、現在でもライバル他社に対して事業の差別化やリスクを低減するといった従来からの守りの知財戦略が、かなり有効に機能している。

この「守りのクローズな知財戦略」でカギとなるのは、「ライバルとの差別化のための知財」だ。コストをかけて多くの特許を出願・権利化し、ノウハウを秘匿して営業秘密として管理し、ライバル他社に使わせないことが重要になる。

常にライバル他社の製品・サービスを監視し、もし自社の知財に抵触している疑いを発見すれば、ただちにやめるように警告し、やめなければ知財侵害で訴える。そのライバル社と知財のクロスライセンス契約を結んでいた場合、問題の知財はクロスライセンスの対象からはずし、使用を禁じたり、非常に高いライセンス料を設定したりすることも考えられる。

一方、「攻めのオープンな知財戦略」は提携先企業とエコシステムを構築するための知財戦略だ。システム化や、製品・サービスの分業が進んでいる電機やITなどの業界では従来からの「守りのクローズな知財戦略」の機能が弱まり、「攻めのオープンな知財戦略」の重要性が高まっている。「攻めのオープンな知財戦略」を志向する企業は、自社の事業活動の各段階を点検し、取引先全体を見渡して課題解決や競争力強化につなげる「バリューチェーン分析」を行う。これは自社（あるいは系列内）では実現できない事業、顧客にとっての魅力を生み出す改革に取り組むことを前提としたアプローチである。

系列外の企業と提携できる

「攻めのオープンな知財戦略」を適用すべき一つの類型は、製造業の場合、製品の設計事業と製造・販売事業に分け、製造・販売事業をグローバルで見た場合に、自社（あるいは系列内）で行うより効率化を図れる系列外の企業が存在する場合、その系列外の企業と事業を効率化するための提携を行うことが考えられる。いわば「製品コスト削減徹底型」といえるタイプだ。このような場合に「攻めのオープンな知財戦略」は非常に有効だ。

例えば、米ＩＢＭが提供する「サーバーの省エネルギー管理サービス」の事例では、ＩＢＭは太陽光パネルの製造コストを下げるために、製造コストを下げる能力をもった複数の企業に対して、自らが持つ設計技術や仕様の知財をオープン化して提供し、自らが製造した場合よりもコストを削減した太陽光パネルを用いることを前提として、このサーバーの省エネルギー管理サービスを実現している。

ＩＢＭが保有する設計技術・仕様の知財を、複数の製造委託会社に提供し、その知財を基にして製造委託企業に太陽光パネルを製造させている。この「自らの知財をあえて提供する」という行為により、製造コストを劇的に下げられる能力をもった系列外企業とスムーズに取引できるようになっており、しかも系列外の企業であっても、知財の取り扱いを定める契約を結ぶことによって、取引先にガバナンス（統治）を利かせることができている。

ある会社が「攻めのオープンな知財戦略」を使って事業を設計と製造・販売に分け、製造では知財をオープンにして圧倒的にコストを下げられる系列外の取引先に無償で提供すると、当然ながらその製造分野の競争は極めて激しくなる。知財の無償提供を受けた製造会社はもともとコスト削減力があり、そのうえ高品質の製品を生み出せるようになるからだ。

一方、製品の顧客の立場からすれば、従来の仕組みでは実現できないような高品質かつ低コストの製品・サービスが市場に現れることになる。その結果、従来のように製造を自ら手掛けているライバル企業にとっては、いわば製品やサービスのコモディティ化（一般化）が急激に進むことから市場シェアを一気に失い、事業を破壊される事態となる。

ソリューションビジネスを展開できる

企業が「攻めのオープンな知財戦略」を適用すべきもうひとつの類型は、自社がモノ売りから「コトビジネス」に転換したり、素材の製造会社が、その素材を組み込んだ製品やサービスの開発・販売にまで事業を拡大したりするなど、既存事業以外の事業を取り込んで「ソリューションビジネス」を展開するケースだ。そして既存事業以外の事業を営む系列外の企業と提携し、既存事業の徹底的な効率化を図る類型である。いわば「ソリューションビジネス展開型」と名付けることができるだろう。

例えば米モンサントは、種子、肥料、農薬を差別化の源泉とする持続的収益性事業として営む一方で、顧客である農家に対する付加価値サービスとして「農業機械の自動運転サービス」も提供している。農業機械の自動運転サービス事業では、データ分析系のスタートアップ企業が参加するコンソーシアムを立ち上げた。モンサントは自らコンソーシアムに投資して、天候条件や種を植える条件などに対する種子の種類ごとの収穫量の実証実験を行い、コンソーシアムに参加しているスタートアップ企業に、その実証データ（知財）をオープンにして、提供している。

コンソーシアムメンバーは、この実証データを基にデータ分析を行い、農家の収穫量を最大化するプログラムや人工知能（ＡＩ）を開発して、モンサントの農業機械の自動運転サービスに提供している。これによりモンサントは、農業機械の自動運転サービスを通して顧客である農家に非常に魅力的な付加価値を提供しているといえる。いわば、自社だけでは実現できない魅力的なソリューションビジネスを展開できている。

モンサントは新たなソリューションビジネスを「顧客獲得事業」と位置づけ、利益が出なくても投資することにより、結果として種子などの従来の「持続的収益性事業」の顧客保持と拡大につなげているのだ。ソリューションビジネスを展開していない種子や農薬のライバル他社との競争に勝つことができ、シェアを獲得できている。一方、農業機械の自動運転サービスでは利益を確保する必要がないため、同じ農業機械の自動運転サービスで収益を上げようとするライバル社がいた場合、その参入を防ぐこともできる。

二面市場戦略の展開

このモンサントの例についても言えることだが、系列外企業とエコシステムを構築する「攻めのオープンな知財戦略」では、経営戦略としての「二面市場戦略」という考え方が前提になることを指摘しておきたい。これは、自社の事業を改革する際に、2つの市場（事業）に対してポジションを築くというアプローチだ。モンサントの場合、従来の「種子や農薬を販売する事業」と、「農業機械の自動運転サービスを提供する事業」という2つの市場（事業）を設けたわけだ（図表8）。

図表８　「攻めのオープンな知財戦略」の類型

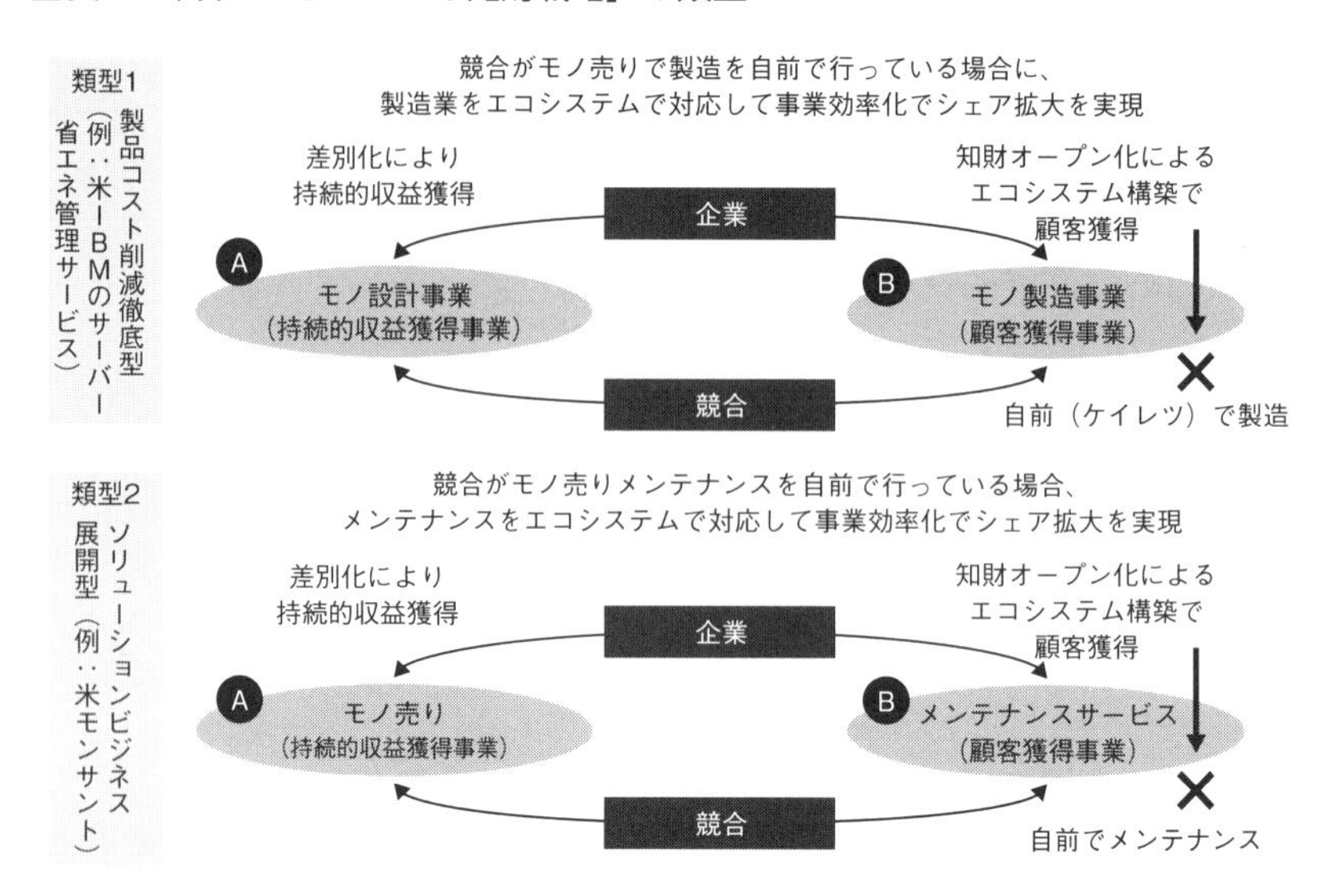

経営戦略としての「二面市場戦略」については、後で詳しく説明するが、自社が手掛ける事業として「2つの市場（事業）」を戦略的に使い分ける考え方をいう。1つめは「収益を上げる市場」であり、この市場をもつことで、2つめの「顧客を獲得する市場」ではサービス料金を無料か、利益が出ないレベルにまで引き下げてしまうことが可能になる。自社は（1つの市場では利益を度外視して）シェアを獲得できる一方、その市場に収益を頼っているライバル他社は利益を出せなくなり、事業が破壊してしまうという強烈な戦略だ。

近年の電機・IT業界で、それまで大きな市場シェアと利益を上げて隆盛を誇っていた企業が一気にシェアを奪われ、その市場から撤退を迫られる現象がみられる。これは単なる製品やサービスの優勝劣敗ではなく、実はライバル企業、またはライバルとは考えていなかったバリューチェーンの上流・下流の企業が、この「攻めのオープンな知財戦略」を駆使して、経営戦略としての「二面市場戦略」を実現したことが原因だったということを認識する必要がある。

例えばインテルは1990年代、マザーボードなどパソコン周辺の技術・知財を台湾の複数の新興パソコンメーカーにオープンにして無償で利用させることで、1社では実現できないパソコンの品質とコスト削減の両立を実現した。当時の台湾の新興パソコンメーカーからすると、インテルの知財により、高品質でコストが圧倒的に低減されたマザーボードを製造できることになった。そのマザーボードを実現するために欠かせなかったのが、実はインテルのMPUだった。当然、台湾のパソコンメーカーは併せてインテルのMPU半導体チップを選ぶことになった。高性能で安い台湾メーカーのパソコンは、世界中の多くの顧客に選ばれ、結果としてインテルのMPU半導体チップの市場シェアも一気に拡大した。

当時、日本のパソコン市場で極めて大きなシェアを保っていたのは、NECの「PC98」シリーズであり、国内シェアは一時、9割を超えていたとされる。PC98シリーズは、OS（基本ソフト）もマザーボードもMPUも、独自の国産仕様だった。そして国内における流通網で圧倒的な強さを誇るNECが市場を押さえていた。ところがインテルが上記のように台湾のパソコンメーカーを巻き込み、「攻めのオープンな知財戦略」と「二面市場戦略」を進め、日本でもインテル製のMPUとマザーボードを搭載した台湾製の高性能パソコンが登場すると、PC

98は急激にシェアを減らし、ついには消滅してしまったのだ。

すでに「攻めのオープンな知財戦略」と、経営戦略としての「二面市場戦略」、ビジネスモデルとしては「ソリューションビジネス」が定着してしまった感のある電機・ＩＴの分野はもちろん、これから事業モデルがモノ売りからサービスを提供するコト売り（つまりソリューションサービス）へと広がっていくことが予想される自動車業界などでも、この「攻めのオープンな知財戦略」をどうやって実行するのかということが、死活的に重要な経営課題となってくると考えられる。

「守り」重視の業界も、いずれ「攻め」が求められる

一方、素材・化学業界などは、従来からの競合他社に対する「守りのクローズな知財戦略」が依然として比較的、有効な業界といえる。モノからコトへ事業展開の流れがやってくるタイミングは電機業界や自動車業界などより、将来であろうとはいえる。ただ、いずれ素材・化学業界でも、より下流の製品事業などを取り込むソリューションビジネスの展開を図る企業がバリューチェーン上に現れるだろう。「攻めのオープンな知財戦略」を採用しない企業はシェアを奪われ、事業破壊に追い込まれる状況が増えてくると著者（林）は予想する。

ソリューションビジネスを展開する際に前提となるのは、「複数の事業の結合」だ。複数の事業で取得したデータを結合させたり、ソフトウエアモジュールの機能を結合させたりするこ

とで、ソリューションビジネスを起こせる可能性が高まる。だからＤＸの進展は、ソリューションビジネスに向けてエコシステムを構築する「攻めのオープンな知財戦略」を企業が実行するハードルを下げているということもできる。

例えば、塗料メーカーが船への塗料の塗布の仕方で船の運航燃費が変わることに気付き、塗料の塗布方法や特性と、船の特性との関係で燃費の実証データを蓄積してＡＩ分析ツールを作って、船の燃費補償サービスを展開するということが考えられる。この塗料メーカーは塗料の販売で収益を上げる必要が無くなるので、塗料の値段を極めて低価格、あるいは無料にすることも可能だ。そうすると塗料の販売事業から脱却できない競合他社は利益を出すことができない状況に陥り、その事業は崩壊してしまう。

このようにＤＸが進展することは、化学業界ですらモノ売りからコト売りに動く契機となり得るため、あらゆる業界でソリューションビジネスを展開するハードルを下げることになる。あらゆる業界でソリューションビジネスに向けたエコシステム構築のため「攻めのオープンな知財戦略」を実行する機会が増える。どんな業界でも「攻めのオープンな知財戦略」を実行する企業が現れると、競合他社は一気に市場シェアを奪われ、事業破壊に追い込まれる可能性がある。このことを、すべての業界の企業は肝に銘じておくべきだろう。

「守り」と「攻め」、どちらを採用すべきか

使い分けが重要に

企業が知財・無形資産を活用する場合、従来の競合他社に対する「守りのクローズな知財戦略」を引き続き重視し続ける判断も、もちろんあり得る。例えば既存の事業で十分な収益を保っている場合は妥当かもしれない。ライバルが存在しない事業、社会課題を解決する事業、ライバルが取り込みにくい事業は、持続的に収益を上げられる可能性が高いので、「守りのクローズな知財戦略」が有効な事業だといえる。

一方、会社が既存の事業で行き詰まっていたり、イノベーションを志向していたりする場合は、「攻めのオープンな知財戦略」に注力するという傾向が強まるだろう。そして系列外の企業を巻き込んで、ビジネス・エコシステムを構築できれば、自社（あるいは系列内）では実現できない画期的なソリューションビジネスや顧客にとって魅力的なサービスを生み、特定の事業で強い地位を占めることが可能となる。

特に自社は押され気味で、ライバル側が大きな収益を上げている事業については、「攻めのオープンな知財戦略」によって事業破壊を仕掛ける余地がある。知財をオープンにして事業破壊を仕掛けると、その分野の製品やサービスの値段が一気に下落する。顧客から見ると魅力的な製品・サービスであるため、ライバルから一気にシェアを奪うことができる。もちろん自社も、破壊的な低価格で製品やサービスを提供しているため、この市場に大きな収益は期待できず、先述の「二面市場戦略」により別の市場で利益を確保しなければならない。

つまり自社が育てようと考える事業、十分に儲けることができる事業、社会的に大きな価値があると考えられる事業においては、持続的に収益を得ることを狙って「守りのクローズな知財戦略」を採用する。一方、ライバル社の屋台骨となっている事業、ライバル社が儲けている事業に対しては、自社の知財をオープンにして提携先企業に使わせ、ライバルの製品やサービスを陳腐化させてゆく戦略が有効といえる。

こうした判断を臨機応変にできるよう、企業は自社の手掛けている各事業のポートフォリオ、各事業で用いることができる知財のポートフォリオを的確に評価・把握しておき、適切な知財戦略を採用することが、経営上とても重要なことは明らかだ。知財戦略の使い分けが企業の盛衰に直結する。

知財を「競争を阻害するツール」から「競争を促進するツール」へ

もう一度、１９８０年代頃までの典型的な日本の製造業の戦い方を振り返ってみよう。日本企業は、いわゆるカイゼン活動に力を入れ、系列内での研究開発や効率化の強化（事業の垂直方向への深化）により、高品質、低コストを武器にグローバルで勝ち抜いた。そのときに採用した知財戦略は「守りのクローズな知財戦略」だった。その狙いは、競合他社に打ち勝つことにあり、すなわち特許とノウハウでライバルとの差別化を図った。

この場合の競合他社とは、「同種の製品を作っている企業」や「同じ事業分野に存在している企業」のことを指す。競合他社との差別化のために知財を使うけれども、日本の会社は可能な限り紛争を避ける文化・傾向をもつため、ライバルとの間で知財のクロスライセンス契約を結び、知財に関する紛争リスクを低減、解消することも徹底していた。

欧米企業にしても、１９９０年ごろまでは日本企業と同じく「守りのクローズな知財戦略」が基本だった。しかし、同種の製品を作ったり同じ業界で競ったりしているため日本企業と知財のクロスライセンス契約を結ばざるを得なくなり、低コストで高品質を実現した日本企業にかなわなくなり、電機、精密機器、自動車などで完敗してしまった。その失敗を教訓に、第１章で触れたように試行錯誤を続け、「攻めのオープンな知財戦略」を編み出していった。

その結果、欧米企業を中心としてグローバルでの知財戦略の描き方が変わった。電機、半導体やＩＴなどの業界では、現在は「攻めのオープンな知財戦略」による、系列外の企業とのアライアンス（事業の水平分業）、オープンイノベーションを前提とする戦いが主流になってきている。ＤＸの進展もあり、引き続き電機業界、自動車業界、化学業界など様々な業界でビジネス・エコシステムを築いた上での戦いが加速していくだろう。

日本企業が得意としてきた自前主義は、系列内における既存事業の垂直方向へのカイゼンが中心だった。しかし新たなビジネス・エコシステムでの戦いは、系列外企業とのアライアンス及びオープンイノベーションによって革新的な技術の開発に取り組み、開発スピードの短縮や、販売チャネルを共有したことによる事業化の可能性向上、データ及び部品統合による製造コスト削減などを狙う。その結果、様々な利点を享受できる。

系列内の企業よりも、系列外のグローバル企業（特に新興国企業）の方が製造コストを圧倒的に下げられる能力を有していたり、販売チャネルを確保していたり、事業で有効となるデータを保有したりしているケースが多い。このような系列外の企業と提携し、知財をオープンにして無償や低価格で提供することで、企業は自らの製品・サービスの開発を一気に加速させることができる。つまり知財をオープンして提携先に提供すると、その分野の製品・サービスのライフサイクルを一気に短縮できる。

いわば製品・サービスのコモディティ化（一般化）が進むということでもあるが、顧客の目からみれば、品質が維持されているにもかかわらず、非常に魅力的な低価格の製品・サービスが市場に現れることになる。当然ながら市場のシェアは、一気に「攻めのオープンな知財戦

図表９　日本企業が直面している経営課題

グローバル競争市場で日本の製造企業がとるべき対応

不合理な自前主義から抜けだし、アライアンスを有効活用したエコシステムの構築とプラットフォーム戦略の実装により競争力を高める必要がある

日本の製造企業における課題

モノ売り単体でのビジネスからの脱却	・モノ売りのビジネスにとらわれ、コト売りのソリューションビジネスを展開できていない ✓攻めのオープンな知財戦略により１社で実現できないコスト削減と品質を実現し、顧客にとっての魅力を向上させることができる ✓プラットフォーム戦略により、差別化を行う事業と顧客に付加価値を提供する事業をつなげてソリューション化することで、顧客にとって魅力的なサービスを実現することができる
利益度外視のソリューションビジネスへの投資	・モノ売りビジネスでは、収益を上げる事業と顧客を獲得する事業が一致していたが、ソリューションビジネスでは、利益度外視で顧客の囲い込みを行う事業と、別の事業で差別化を図り、持続的に収益性を獲得することができる ・利益度外視のビジネスへの投資判断など、これまでと異なる経営判断を行う必要があり、それを実現するためのビジョン策定が必要になる

略」を取った企業に流れる。相変わらず自前主義で技術・製品の開発を続けている企業は一気にシェアを奪われてしまい、事業が立ち行かなくなるという状況に陥ってしまう。

知財を系列外の企業にオープンにする場合、知財を求めてくる企業とはアライアンスやコンソーシアムを組むことになる。提携の仕方の違いはあっても、ビジネス・エコシステムを構築した場合の研究開発は、従来からの研究開発とは考え方が異なってくる。従来は、自社がライバルとの差別化や事業リスクを低減するために技術や知財を開発してきたわけだが、それに加えてパートナーの事業に役立つような技術・知財への投資も必要になる。他社の利益を考慮する、「利他主義的な技術の開発、知財への投資」が重要になる。

従来の「クローズな守りの知財戦略」においては、知財の役割は競争を減らすこと、競争を阻害することだった。しかし知財をオープンにすると、その知財や、その知財を使う事業に向けて系列外の企業が集まってくる。以前とは逆に、特定の事業で競争を促進するために知財を生かす戦略が必要になる。

だから「攻めのオープンな知財戦略」で改革を志向する企業にとって、競争を促進する技術領域と、競争を阻害する技術領域をどのようにデザインしていくのか、ということが全社の経営戦略、事業戦略を決める上での肝となる。これが近年、経営戦略、事業開発の中で「知財の機能が重要視されている」と言われる大きな理由の1つである。だから本書は「攻めのオープンな知財戦略」について、これほど詳細に解説を試みるのだ。

ダイキンが世界展開できた理由

自社では困難な事業価値、顧客に対する価値を実現した例としては、後に詳述するが、ダイキン工業が中国のライバル社と手を組んだケースが挙げられる。ダイキンは中国の競合大手と提携し、自社からエアコン向けのインバーター（モーターの回転数制御回路）の環境技術・知財をオープンにして提供し、その代わりに相手側からは世界ナンバー1の販売チャネルと製造コスト削減能力を獲得することに成功した。

2008年、ダイキン工業は中国・珠海格力電器（広東省珠海市）と業務提携した。狙いは中国で環境性能の高いインバーター搭載エアコンを普及させることだった。それまでダイキンは、家庭用エアコンの設計と製造は自社（系列企業を含む）で手掛けていた。先進各国では家庭用エアコンのコモディティ化（一般化）が進み、各企業が利益率の低い状態に甘んじる「レッドオーシャン」の状況に陥っていた。

しかし中国など当時の新興国・発展途上国では、インバーターなどの省エネ技術は普及しておらず、ダイキンはシェアを獲得できる余地があった。ただ、すでに中国では現地のライバル企業が強い販売チャネルを持っており、日本企業が市場に参入するのは簡単なことではなかった。そこでダイキンは、中国のトップメーカーである格力と提携し、ともに市場をつくることが自社の事業拡大に最適だと考えた。

ダイキンはインバーターの技術・知財をオープン化して格力に提供する代わりに、格力の世界ナンバー1のシェアの販売チャネルと製造コスト低減能力を獲得することに成功した。このことによってダイキンは、中国の家庭用エアコン事業において自社では困難だった製造と販売の効率化を図り、中国におけるシェア獲得と利益率の向上を実現した。現在も中国の家庭用エアコン市場において、ダイキンは存在感を保っている。

いったん市場でシェアを獲得できれば、例えばＩＴビジネスでは広告事業で広く薄く利益を得ることが可能になり、十分に収益を上げることができる。近年の米ＧＡＦＡＭを挙げるまでもなく、「勝ち組」の競争戦略の多くはこのような「攻めのオープンな知財戦略」を採用し、事業の効率化を図って市場で圧倒的なシェアを獲得する類型である。知財をオープン化して競争を促進させ、自社だけでは困難な顧客にとっての魅力を実現するのである。

プラットフォーム戦略（二面市場戦略）と攻めのオープンな知財戦略

プラットフォーム戦略の本質

プラットフォーム戦略とは、複数の企業や組織とアライアンスを結び、顧客に魅力的なサービスを提供するための共通の土台（プラットフォーム）を構築する経営戦略をいう。昨今、グローバル規模で圧倒的な成長を遂げている企業の多くは、このプラットフォーム戦略を追求してきた米ＧＡＦＡＭに代表される「プラットフォーマー」と、そのプラットフォーマーに選ばれた「エコシステム・メンバー」（つまり取引先）だというのが実情だ。

プラットフォーム戦略は、いわゆるデジタル分野でのプラットフォーム獲得戦略に限らず、

「モノ売り事業」から「コト売り事業」への展開を図る、すべての業界で有効だと考えられる。例えば競合が保有しない「コト売り」事業で収益を上げられるようにすれば、既存の「モノ売り」事業で収益を上げる必要がなくなる。モノの価格を無料や利益が出ない低価格に設定することも可能となり、ライバルからシェアを一気に奪うことができる。

現在、日本企業が直面している経営の深刻な課題に対し、企業の「稼ぐ力」を持続的に向上させるため、コーポレートガバナンスまで含めた改革が求められている。今後、日本企業はプラットフォーマーとして市場での存在感を高め、社会課題を解決しながら稼ぐ力を維持していくことが求められる。そのためには自社だけでは実現できない、顧客にとって極めて魅力的なサービスを提供することが必要となり、本書で何度か解説する経営戦略「二面市場戦略」を前提としたソリューションビジネスの展開が欠かせないと著者（林）は考える。

例えば、ガスタービンを扱う業界で、すべての企業がガスタービンという「モノ売り」しか展開していなかった時代に、ある企業がいち早くメンテナンスサービスなど「コト売り」事業を展開した場合を想定してみよう。ガスタービンのモノ売りでは赤字覚悟の出血セールをして、ライバルがまだ参入していないメンテナンスサービスで収益を上げれば事業を継続でき、ガスタービンのシェアを一気に奪うことができる。この企業はガスタービンの業界においてプラットフォーマーの地位を占めることになる。

したがってプラットフォーム戦略の本質は、２つの市場（２つの事業）をもち、一方の市場（事業）では破壊的な低価格によってシェアを獲得し、他方の市場（事業）ではしっかりと利益を稼ぐという「二面市場戦略」を経営戦略上、採用することにある。つまり、経営戦略としての二面市場戦略こそ、ビジネス戦略としてのプラットフォーム戦略の本質であり、プラットフォーマーの優位性に欠かせない役割を果たす。

経営戦略として二面市場戦略を実行する場合、一方の市場では製品・サービス価格を赤字覚悟で提供する必要があるため、その事業の徹底的な効率化を図ることが必要になる。だから経営戦略上の二面市場戦略、つまりビジネス戦略上のプラットフォーム戦略をとる場合は、既存事業において自社（系列内）では実現できないような製造コスト削減や品質向上など圧倒的な効率化を実現しなければならない。そのために知財戦略として「攻めのオープンな知財戦略」を採用し、知財をオープンにして世界中（特に新興国）で提携先企業を探し出すという流れになる。

「憂鬱な象」からの脱却

セルビア出身の米経済学者、ブランコ・ミラノヴィッチ氏は、その著書『大不平等：エレファントカーブが予測する未来』の中で、近年の世界の所得分布と実質所得増加率の関係をグラフで示し、その形状が「鼻先を上げた像のシルエット」に似ていると指摘し、先進国の中産階級層だけが実質的な所得が伸びていない現実を「憂鬱な象」に例えている。

このミラノヴィッチ氏の指摘する「憂鬱な象」は、世界的な実質所得の増加は、成功したビ

図表10　グローバリゼーションの不都合な真実を示す「憂鬱な象」

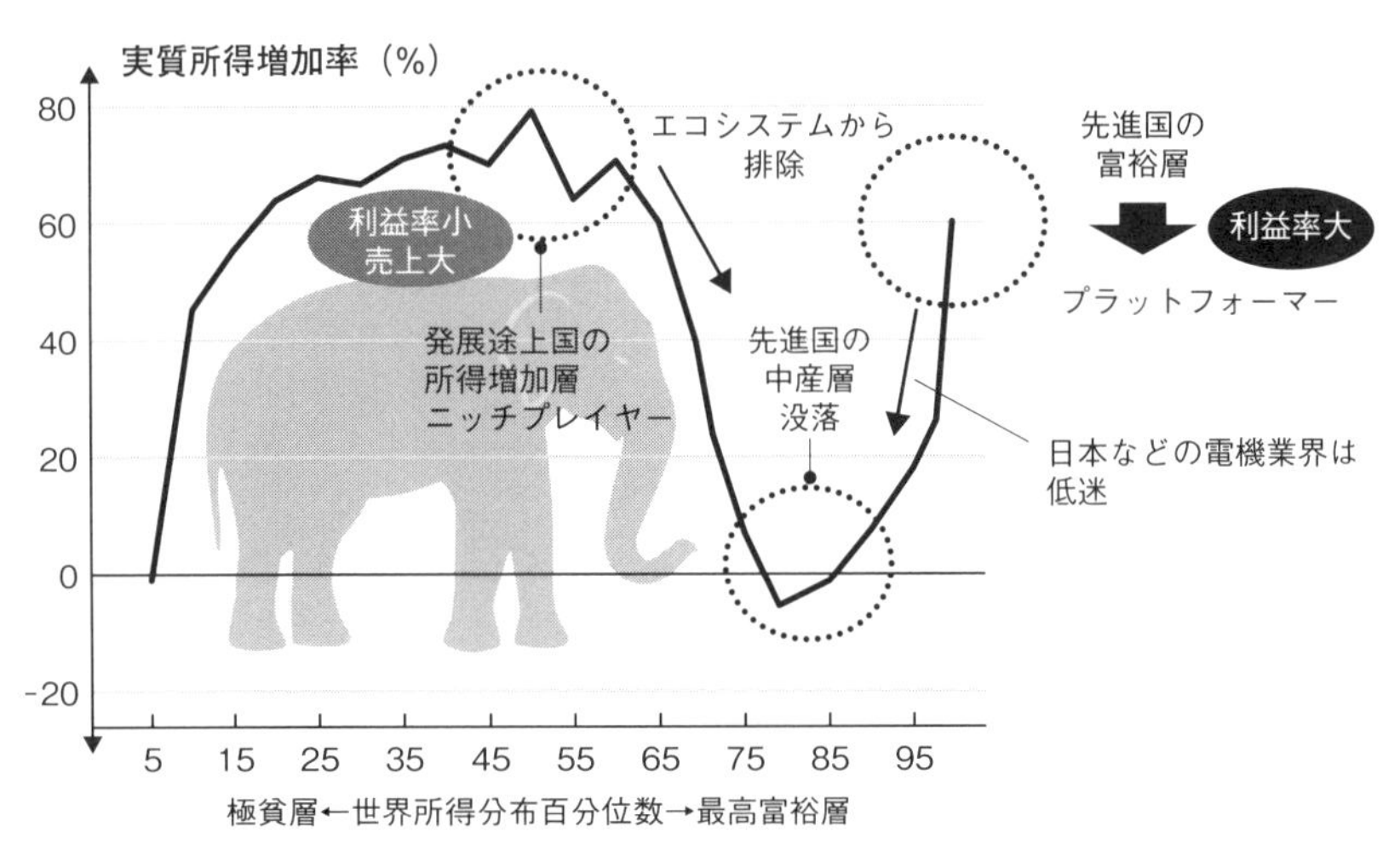

世界の実質所得層増加は、成功したエコシステムを構築している。プラットフォーマー（先進国富裕層）とニッチプレイヤー（途上国ベース層）の所得分布に一致

（注）1988～2008年基準

ジネス・エコシステムを構築したプラットフォーマーの経営者（先進国の富裕層）と、プラットフォーマーに取引先として選ばれた企業（ニッチプレーヤー）の従業員（新興国・発展途上国のベース層）の所得分布に完全に一致しているということを示している。

同時に、新興国・発展途上国企業の台頭によりビジネス・エコシステムから排除され、かつプラットフォーマーに進化することもできない企業（多くの日本企業が含まれる）は、収益性が低くなっていることも示している。日本が得意としてきた製造中心の事業では、欧米先進企業と新興国企業の台頭により成長に限界が生じ、もはやプラットフォーマーになってソリューションビジネスを展開しないと収益を確保できないということである。

新エネルギー・産業技術総合開発機構「平成29年度日系企業のモノとサービス・ソフトウェアの国際競争ポジションに関する情報収集」では、日本企業の世界シェアと各業界との関係を示すグラフが示されており、日本企業が世界シェアを維持できている業界として化学・素材業界を挙げている。その理由は、同業界は依然として特許を中心とした独占、つまり「守りのクローズな知財戦略」が、今なお有効だからだと著者（林）は考えている。

すでに電機・ＩＴ業界では「守りのクローズな知財戦略」だけでは有効に機能しなくなっているため、「攻めのオープンな知財戦略」を取り入れることができない企業はシェアを奪われている。電機・ＩＴ業界では「守りのクローズな知財戦略」だけでは競争に勝てなくなっており、「攻めのオープンな知財戦略」を使って系列外企業との提携を巧みに使いこなせないと、グローバル競争に勝てないことがはっきりしている。

では素材・化学業界では「攻めのオープンな知財戦略」は必要にならないのだろうか。確かに素材の製造は電機・ＩＴ分野に比べてシステム化されにくく、製造のアウトソーシングもやりにくい面があり、すぐに「攻めのオープンな知財戦略」は取りにくい。しかし素材・化学業界でも、デジタル化の進展、ＤＸの進展により、将来はソリューションビジネスへの転換が求められ、電機業界と同様、事業破壊が生じる可能性があると著者は考える。

事実、オランダに本社を置く塗料事業を主とするアクゾノーベル社は、船の塗料の塗り方で船の燃費が変わることに着目して、選択した塗料による消費燃料とＣＯ２排出を予測できるデ

図表11　アクゾノーベル社の塗料ソリューションビジネスの事例

事業	塗料
背景	・船体コーティング（塗料）は船の燃料やCO_2排出に影響を及ぼす ・これまでは個人的な経験にもとづいて塗料を選定 ・**海運業者は塗料のパフォーマンスの予測について懐疑的**であった
商品概要	・**消費燃料とCO_2排出に関する予測ツール**を開発 ・ロンドン大学ユニバーシティカレッジ（UCL）、オランダの船舶研究施設MARIN、ニューカッスル大学と共同開発 ・船の種類、取引ルート、アクティビティ、速度に基づいて、船舶の燃料油消費、燃料油コスト、CO_2排出量予測、費用対効果分析を算出できる
効果	・船舶所有者は、**予測ツールを無料で利用可能** ・船舶所有者は、**適用前に船舶のさまざまなコーティングの性能を正確に評価可能** ・結果、塗料の消費量とCO_2排出力の低減が可能

（注）アクゾノーベル社ウェブサイトにもとづいて作成

ジタルツールを開発した。このツールをソリューションビジネスに転用すれば、燃費補償などのサービスを提供するソリューションビジネスを展開することも可能だろう。

これは仮定だが、アクゾノーベル社が二面市場戦略をとり、塗料は赤字覚悟の低価格で販売し、燃費補償サービスで収益を上げるビジネスモデルに転換すれば、ライバルの塗料メーカーとの価格競争から脱して、しかも塗料の顧客に圧倒的な低価格で価値を提供できるから、一気にシェアを高められるかもしれない。つまり素材・化学業界でも、ＤＸの進展により、電機業界で起きたような事業破壊が起きる可能性があるということだ。

さらに化学分野のＤＸにおいては、電機産業で生じたのと同様、バリューチェーン上でのソリューションビジネス展開において、事業破壊が生じる可能性もある。

例えば三菱ケミカルは、光ディスクの記録材料として高耐久性・高倍速記録性といった優れた特性を持つ「アゾ色素」を独自に開発した。この色素の特性を生かすためには、それにあったディスク基板表面の微細な構造加工が必要になる。

三菱ケミカルの場合、三菱化学メディアという子会社があるので、加工についての知財も含めてグループ内で完結させることも可能である。しかし、三菱ケミカルは、グループ内で必要な技術を検証した後、外部の光ディスク書き込み機械の製造業者にサンプルディスクと書き込み方式に関する情報を提供した。さらに、ＤＶＤフォーラムなどの業界での取り組みに参画し、ここでも「アゾ色素」を適用したサンプルディスクを提供している。

これは、「攻めのオープンな知財戦略」そのものである。結果として、下流にあるハード事業に知財をオープンにして競争を促進させ、通常のライフサイクルよりも早くコストを削減し、品質を向上させることにより、顧客に受け入れられる市場の立ち上げを早めることに成功した。こうして拡大するハード市場によって自ら供給する素材市場が牽引され、そこでの圧倒的なシェアを獲得している。

このような化学業界での「攻めのオープンな知財戦略」を利かせる動きは、他にも例えば帝人が燃料電池発電機事業を始めている事例がある。帝人は自ら得意とする素材を必要とする市場（事業）を取り込むことで、ソリューションビジネスを展開しているのである。

このように、素材・化学業界でも事業変革（ビジネストランスフォーメーション＝ＢＸ）が進むと、電機業界で生じたのと同じような事業破壊が数多く起こってくると予想される。

知財が持つ様々な機能

インテリジェント機能としての知財

知財には、競争を妨げる機能、競争を促進する機能に加えて、世界の各種のビジネスの技術的なトレンドや競合他社の技術開発・投資の状況を客観的に分析する「インテリジェント機能」をもたせることも可能だ。経営戦略を描く際の外部環境（ランドスケープ）を把握する際に知財情報を活用するのだ。第1部でも紹介した、知財情報を経営判断に生かす、いわゆる「ＩＰランドスケープ」である。

近年ではグローバルで年間350万件ほどの特許が出願されており、グローバルの技術情報の7割は、特許情報を見ることでカバーできると言われている。もともとＩＰランドスケープは「守りのクローズな知財戦略」の中で、新たな特許の開発・取得の検討などに使われていたのが発端だったが、今や「攻めのオープンな知財戦略」の中で、より大きな経営課題を解決するために駆使すべきものになりつつある。

例えばソリューションビジネスを展開するにあたっては、既存事業だけでなく、既存事業の上流や下流にある事業を分析するバリューチェーン分析を行うことで、ソリューションビジネスの転換に必要な新規の事業の開拓、さらには潜在的な顧客を探索することが、技術・事業戦略を策定する際には重要だ。ＩＰランドスケープは、このバリューチェーン分析に用いることができる。

新規の素材が開発され、その市場性が高まった場合には、下流側のモジュールやシステム・アプリケーション、サービス会社がその新たな素材を活用した事業を想定してビジネスモデル特許を出願することが多い。だから特定の素材をキーワードとして、バリューチェーンの下流企業において関連する特許が増えていることをＩＰランドスケープで確認できれば、その素材の市場性を予測できる。

また、自社のバリューチェーンに存在する、技術力を持った潜在的な顧客が出願を始めている特許をＩＰランドスケープで分析すれば、その業界における新たなニーズや市場性のある技術を特定できる可能性がある。ＩＰランドスケープで利用するのは特許情報だけに限らず、その技術を保有するスタートアップ企業に対する投資情報など、特許以外の情報を分析に加えることで、技術の市場性をさらに詳しく評価することができる。

したがって知財のインテリジェンス機能であるIPランドスケープは、ソリューションビジネスへの転換に必要な新規の事業を開拓したり、潜在的顧客を探索して技術・事業戦略を策定したりする際にも、とても有効であるといえる。また技術を起点とした事業を開発したい場合、さらにはマーケットを起点とした事業を開発をしたい場合の分析にも、IPランドスケープは非常に有効である。

系列外企業のガバナンスにも有効

知的財産をオープンにする意義がもうひとつある。ビジネス・エコシステムの構築は、系列外の企業との提携が前提となる。系列企業など資本関係のある企業に対しては、その役員の多くを親会社が派遣して意思決定できるし、監査を行えば、何を工場で作っているかといった情報も全部把握することでき、ガバナンス（統治）を利かせることができる。

しかし系列外の企業であれば資本関係はないため、通常はガバナンスを利かせることはできない。しかし知財をオープンにする際にはライセンス契約を結ぶため、その契約書の条項にガバナンスに関する規定を盛り込むことで、資本関係のある企業と同じようなガバナンスを構築することができるのである。

例えば、米アップルのようなアッセンブラー（完成品企業）が製品全体の設計を行った上で、各部品の強度や重量などの仕様を各部品メーカーに製造委託で伝えることがある。この場合、その仕様をアッセンブラーが特許として出願・登録していなかったとしても、仕様はアッセンブラーがもともと保有するノウハウであり、「バックグラウンドＩＰ（Background IP＝アライアンス前より保有している知財）」として尊重されるべきである。

通常、アッセンブラーと各部品メーカーが結ぶ契約では、アッセンブラーがオープンにしたバックグラウンドＩＰを基に各部品メーカーが製造を実現するための技術が生まれた場合、その成果物は「フォアグラウンドＩＰ（Foreground IP＝アライアンスの結果生じた知財）」と位置づけられ、その知財の実施権（その知財を使う権利）はアッセンブラーに帰属するという条項が含まれることが多い。

この場合、アッセンブラーは実施権を行使するために、アライアンスの結果生じた知財（フォアグラウンドＩＰ）がどんな技術なのかを確かめるための監査を行う権利も契約条項に盛り込むことが多い。だからこの監査を徹底することで、アッセンブラーは自ら製造事業を行っていない場合でも、あたかも製造事業を行っているかのように製造技術に関する知見を得ることができるのだ。

欧米企業では、この監査のため調達部隊を部品メーカーの敷地内に送り込み、アッセンブラー本社にアライアンスの成果物である知財（フォアグラウンドＩＰ）の情報を日報として報告させるなどして、管理を徹底している企業が多い。この監査の効果は絶大だ。製造業の場合、原材料に何を選択したかなども知ることができ、原価も把握することができる。

またアッセンブラーは、アライアンスの成果物の実施権（その技術を使う権利）を確保することで、他社との交渉力を得ることができる。成果物を生み出した1社の部品メーカーに依存することなく、絶えず製造コストや品質の観点で最も効率の良い企業を自らのパートナーとすることができる。もちろんアッセンブラーの立場として、知財のサブライセンス（外部に利用許諾する権利）を獲得できれば、より他社との交渉力は高まる。

このように「攻めの知財戦略」をガバナンスの観点まで徹底しようとすると、経営と技術と知財の「三位一体」にとどまらず、調達まで含めた「四位一体」が必要になってくるとさえ言える。

「両利きの経営（知の探索と知の深化）」に有効

「攻めのオープンな知財戦略」は、いわゆる「両利きの経営」の中にも導入しやすい手法だと言える。両利きの経営とは、主力事業の絶え間ないカイゼン（知の深化）と新規事業創出に向けた試行（知の探索）を両立させることの重要性を唱える経営論のことをいう。両利きの経営では、「既存事業の深掘り（知の深化）」と「新規事業の探索（知の探索）」という異なる方向の経営判断が必要となり、その両方を同じ経営陣・企画担当者が判断する必要があるため、適切な経営判断が難しいと言われている。

この「知の探索」とは、既存事業から上流のバリューチェーン、または下流のバリューチェーンに向かって水平方向に存在する事業を、自社または提携先と築いたエコシステムによってソリューションを提供、解決することで、新規事業の可能性を探ることを意味する。例えばガスタービン事業で、「ガスタービン」というモノ売りが中心だった事業を、タービンを売った顧客に対するメンテナンス・交換のサービスをソリューションビジネスとして展開することが考えられる。

この場合、会社には既存のモノ売りで必要だった技術や営業のやり方とは異なる、新たな能力・手腕が必要となる。これを自社や、提携先と築いたエコシステムにより取得し、競合他社にはできないサービスを事業として提供することを、プラットフォーム戦略は追求する。競合他社が手掛けていない新事業（メンテナンス）で収益を獲得するため、競合他社が収益源としている既存事業（モノ売り）では利益を度外視できる。例えばガスタービンを極めて安い価格に設定することが考えられる。その結果、競合他社の事業を破壊し、シェアを奪い、圧倒的な優位を築ける。

一方、「知の深化」とは、既存事業に加えて、新規事業における技術開発（垂直方向）による事業の深化を意味する。例えば、先ほどのガスタービン事業の事例では、新規事業として取り込んだメンテナンス事業を深化させる必要がある。この場合、同様な事業・技術を保有する企業を参考として、自社で自ら技術・事業を開発して差別化できるサービスを産み出す方法もあるし、事業・技術をもつ他社（スタートアップなど）と提携してエコシステムを築いて、技術・事業を開発して実現する方法もある。どちらの方法が、事業を一気に効率化できるか、優位なサービスを提供することができるか、との経営判断が必要となる。

このように、ソリューションビジネスを展開する場合に取り込む新規事業も、既存事業と同様に、自社、またはエコシステムでの事業の深化（カイゼン）が必要となる。つまり両利きの経営においては、既存事業での「知の深化」のために必要な技術・知財の開発に対する投資と、既存事業の外で行う新規事業における自社、またはエコシステムによる「知の探索」のための技術・知財の開発に対する投資という、両方の投資が必要になるということだ。

知財を他社にオープンにしてエコシステムを築き新規事業を作ることがプラットフォーム戦略を実践する上での肝となる。企業はエコシステムを築くために知財をオープン化して系列外企業に提供する必要があるが、このことでエコシステムが創出する新事業と、既存事業とのつながりを作ることもできる。知財をオープンにすることによって会社が新たに手掛ける事業が、その会社の既存の事業とつながるわけだ。オープン化した知財は、利益を度外視した事業から、顧客を収益獲得事業に誘導するための手段（ビークル）だともいえる。

プラットフォーム戦略は、競合他社の事業破壊を狙って利益を度外視して競合からシェアを奪う戦略である。企業がプラットフォーム戦略を実行するとき、利益を度外視してシェアを獲得する事業と、利益を確保する事業をつなげる動きが生じる。だからビジネス戦略としてのプラットフォーム戦略は、経営戦略としては二面市場戦略だといえる。呼び名はともかくとして、これが現代のグローバルの勝ち組が共通して採用する最強の戦略なのだ。

克服すべきイノベーションのジレンマ

「自社の利益の最大化」と「社会課題の解決」

プラットフォーム戦略では、すでに述べたように、持続的に収益を獲得できる収益獲得業と、収益性が高くなくとも顧客を集める顧客価値提供事業を両立させる。このプラットフォーム戦略を進めるには、実は２つの異なる「目的」を設けなければならないことに注意を要する。２つの目的とは、「自社の利益の最大化」と「社会課題の解決」だ。その異なる目的を達成するため、２つの事業に対する途切れ目のない投資と、両事業への投資のバランスを取らなければならない。だから経営戦略上、相反する投資判断が必要となり、企業には「両利きの経営」が必要とされるともいえる。

事業での投資判断というと、従来のモノ売り中心の事業の場合は、差別化のための投資と顧客を獲得する投資が一致していた。しかし近年の急成長企業の多くはプラットフォーム戦略を採用している。顧客獲得に向けた投資判断は、顧客を獲得できれば必ずしも利益を得る必要がない。今までと異なり、自社の利益の最大化と、社会課題の解決という、異なる目的をもった投資に対する経営判断が必要となる。もっといえば、プラットフォーム戦略では、その事業が「持続的に収益を獲得する事業」なのか、「顧客に価値を提供する事業」なのかによって、投資の判断や知財戦略を変える必要があるということだ。

既存事業に加えて新規事業を生み出してソリューションビジネスを展開する場合、既存事業か新規事業のいずれかを持続的に収益性を獲得する事業とし、他方の事業では利益を度外視して競合の事業を破壊して圧倒的なシェアを獲得するというのが現在のグローバルでの勝ち筋・プラットフォーム戦略の強みである。ただ、いずれかの事業では利益を確保しなければならず、差別化によって独占力を確保するとの経営判断が必要になる。

知財の活用の仕方も、収益を確保する事業においては、知財を独占使用して収益を確保するという点は従来から変わらない経営判断であるが、一方の事業では利益を度外視して競合の事業の破壊を狙うため、独占を狙うのではなく、技術の普及を狙う方向で経営判断しなければならない。知財の使い方も、同じく非独占・開放・標準化によって競争を促進することで事業の効率化を図る必要性がある。つまり両利きの経営では、「逆向きの投資に対する経営判断」を同時並行的に社内で実行しなければいけないということが、イノベーションのジレンマだといえる。

一方、「攻めのオープンな知財戦略」は、持続的に収益を獲得する事業においては実施する必要のない戦略であるが、競合他社の事業破壊を狙ってプラットフォーム戦略を仕掛けようとする場合には、必要となってくる。なぜなら、利益を度外視して顧客価値を提供する別の事業の方でエコシステムを築いて対応する場合、自社（系列内）では実現できないレベルで圧倒的に商品のコストを下げつつ、同時に品質をある程度維持するために、やはり技術・知財をオープン化して競争を促進させる経営判断が必要となるからだ。

投資にも異なる判断

知財への投資も、経営判断と同じく異なる方向性を向いた判断が必要になる。プラットフォーム戦略を実践するための２つの事業で、知財の開発と活用の方向性がまったく異なるからである。つまり知財に対する投資判断においても、両利きの経営と同様、イノベーションのジレンマが存在する。「攻めのオープンな知財戦略」を実現するためには、既存事業を中心として独占性を担保するために知財を開発・活用してきた、従来からの社内カルチャーとの違いを吸収する仕組みが必要だということになる。

プラットフォーム戦略では、利益を度外視した事業を取り込むことで競合他社の事業破壊を狙い、一気にシェアを獲得することが戦略としての強みである。先ほども触れたが、この利益を度外視した事業を提携先と築いたエコシステムによって市場に広く普及させるには、単なる自社の利益追求の思想ではなく、「社会の利益最大化」と「社会の課題解決」のためにイノベーションを追求するという思想が必要となることは、大切なポイントだ。

「攻めのオープンな知財戦略」を実践するには、自社が利益を追求する事業においてはこれまでのように自前で徹底して強みを保ちつつ、一方の利益を度外視する事業においてはエコシステムを構成するために系列外の提携先の賛同を得なければならない。だから、その利益を度外視する事業においては「社会の利益」「社会課題解決」の視点で取り組んでいるということを、社内外のステークホルダーに伝えていくことが大切になる。

つまり「攻めのオープンな知財戦略」を実践するには、自社の収益を確保するための知財に対する投資と、自社の収益には直結しないが、共にエコシステムを築く外部企業に提供するための知財への投資が必要になる。自社の利益に直結しない知財への投資については社内で同意を得ることはもちろん、その知財を用いて事業を作り上げる社会的な意義やビジョンについても、提携先企業などとしっかり共有していく必要がある。

ステークホルダーの「腹落ち」が重要

異なった方向性をもった投資判断の後に、実際に「攻めのオープンな知財戦略」を生かして新たな事業を実行していくためには、一段と社内外のステークホルダーの「センスメイキング」、すなわち「腹落ち＝納得」が重要になっていく。自社の収益に直結するわけではない事業に付き合わされる社内の役員や従業員に対しては、自社のビジョンや経営理念を通じて納得してもらうインナーブランディングが必要になり、社外のパートナーやステークホルダーに対しては、その事業の社会的意義を認識して共に進んでもらうためのアウターブランディングが必要になる。

例えば後ほど詳しく紹介するインテルの事例では、収益性の低いマザーボードや（その回路である）チップセットなどの周辺事業に関して、社内で「もうからないのに、いつまで技術開発の投資を続けるのか」という反発があった。そこでインテルは、収益を確保しているＭＰＵだけでなく、マザーボードやチップセットを含めた開発のロードマップを描き、周辺事業への投資があるからこそ実現できる、顧客にとっての価値と公益性をビジョンに掲げていた。このことで収益性のない事業への投資を維持することができたといわれている。

インテルの事例では、組織上の責任にまで踏み込んでおり、マザーボードやチップセットなどの周辺事業を、主力のＭＰＵの収益性を維持するために必要な存在であることということを明確にする狙いで、ＭＰＵ事業の傘下としていた。このように、「攻めのオープンな知財戦略」を進める際は、それに伴って生じかねないイノベーションのジレンマを解消する必要があり、プラットフォーム戦略の２つの事業のそれぞれを意識した経営判断と知財に対する投資判断ができるように、社内外に対する適切なビジョンの設定と、社内における事業責任を明確にした組織設計が必要となる。

持続的な社会に貢献する、社会課題解決のために事業を進める、といった意志を企業が「パーパス」や「ビジョン」で示し、それを用いて社内外にコミュニケーションすることが大切だ。会社の方針に社員が納得し、知財に対する投資の方向が変わることなどを理解しない

図表12　プラットフォーム戦略と攻めのオープンな知財戦略の関係

プラットフォーム戦略では、差別化を徹底する持続的収益獲得事業と、利益度外視で攻めの知財戦略により１社で実現できないような顧客価値を提供する顧客獲得事業からなるソリューションビジネスを展開する

	持続的収益獲得事業	顧客獲得事業
ビジョン・パーパス 投資責任	・利益最大化	・地球と共存、社会課題解決 ・持続的収益獲得事業の顧客を獲得 ・利益は追求せず ・他社の当該事業の破壊を狙う ・顧客獲得事業の投資責任は持続的収益獲得事業の部門の責任とする
ビジネスプランニング	・プランを作って計画的に実施	・顧客の反応を見ながら移行
ステークホルダーとの関係	・差別化により競争優位性を構築	・エコシステムとの協業
業務に対する姿勢	・ルールにしたがって業務を遂行	・既存概念にとらわれない新しい価値を創造
知財戦略のポリシー	・クローズによる差別化	・オープンによる提供への動機付け付与
エコシステム提携の狙い	・差別化技術の開発をスタートアップや大学との提携で検討	・知財をオープンにして共創することにより、製造コスト削減や販売チャネル獲得など１社で実現できないレベルまで事業を効率化 ・提携動機付けとなる技術の開発はスタートアップとの提携を検討
知財活用契約条件	・バックグラウンドIP（提携前から保有する知財）をビジネスを描く前提として利用	・フォアグラウンドIP（提携後に生じた知財）は、社会課題解決顧客価値提供のため、エコシステムで広く利用できる ・契約によりエコシステム（非系列企業）に対するガバナンスを利かせる

と、「攻めのオープンな知財戦略」を実現するための投資が承認されない可能性がある。社外に対しても会社の考えについて説明を尽くさないと、ビジネスパートナーの賛同を得ることができず、エコシステムを構築することができないことになりかねない。

ＳＤＧｓ・社会課題解決の経営戦略との関係

フランスの経済学者・思想家・作家であるジャック・アタリ氏は、著書『２０３０年ジャック・アタリの未来予測』の中で「利他主義は最善の合理的利己主義」であると指摘する。利他主義という理想への転換こそが、人類のサバイバルの鍵であると考えている。

コロナ禍、パンデミックという深刻な危機に直面した現在、「今こそ、『他者のために生きる』ということが人間の本質であるはずだ。相互依存性のある現代社会では、競争による他者の失敗や敗退でだれも利益を得ることができなくなる。格差と利己主義の蔓延（まんえん）によって、世界がやり場のない『怒り』に満たされ、人類は最悪の結末を迎えかねない」と予測する。それを避けるために、「一人ひとりが利他主義的価値観を復活させ、世界を変革させる必要がある。共創（協創）は競争よりも価値があり、人類は一つであることを理解すべきである。既存事業・自事業への技術・事業投資だけではプラットフォーム戦略は実現できない」と言う。

彼の考え方は、「共創の経営戦略」を考える上でも重要である。企業経営者が事業戦略においてＳＤＧｓ（持続的な開発計画）や社会課題解決を意識し、ビジネス・エコシステムを構築する際に、知財戦略の観点では「共創・協創の知財戦略」の考えが重要だということと同義だと考える。つまり知財というものは、今までは独占、いわば利己的な使われ方が中心だったが、共創・協創経営を実現する上の知財戦略では、社内外から共感を得ながら、利他主義的な知財の開発と使い方が重要になってきている。

事業・技術開発の中で「攻めのオープンな知財戦略」を進めるためには、自社の既存事業に対する利己的な投資だけではなく、ビジネスパートナーや社会課題を解決するという視点での利他的な投資も必要になる。これは今までの自社の事業への投資の判断とは逆方向であるといえ、二面性を持った経営判断が必要になってくる。いわば「イノベーションのジレンマ」が生じる原因にもなり、企業にはジレンマを克服する工夫が求められる。

プラットフォーマーは「キーストーン」

「キーストーン（中枢）種」とは、生態系（エコシステム）の中で、比較的少ない生物種でありながらも、その種がいなくなるとその生態系全体が生存できなくなるような、利他的な存在の生物種をいう。例えば北大西洋沿岸において１９９０年代にラッコが減少し、その餌となっていたウニが増殖してコンブの仮根を食い荒らしてしまい、生態系に影響が出た。この場合、ラッコが北大西洋沿岸の生態系のキーストーン種だとみなされる。

ビジネス・エコシステムは、生物・植物が生存のために生態系を形成するように、業種や業界といった垣根を越え、共に成長するために企業同士を結びつける試みである。ビジネスにおけるキーストーンは、系列外企業の技術や事業のリソースなどを結合させて、ビジネス・エコシステムで魅力的な経営資源を活用し、ビジネス・エコシステム全体のビジネス価値を最大化させる役割を担う。

キーストーンは、ビジネスパートナーの事業も含めてビジネスの全体構想を描き、ビジネスパートナーへの事業支援を行うことが共通の特徴だ。知財戦略的にはビジネスパートナーの支援のため、自らの事業でなくても技術開発を行い、獲得した知財をオープンにしてパートナーを支援しているという位置づけになる。つまりビジネス・エコシステムのキーストーンは、「攻めのオープンな知財戦略」を推し進めるプラットフォーマーということになる。ビジネス・エコシステムを構築するためには、他社の事業を支援するための知財の開発や提供が重要になるということである。

キーストーンとして、米GAFAMのような大企業をイメージするかもしれないが、ニッチ（隙間）プレイヤーがなることも可能だ。バリューチェーンの上流企業であって、必ずしも大企業でなく中小企業でもなり得る。例えば自動車業界でいうと、自動車産業の将来像や技術・事業を構想している主体は、日本勢ではトヨタ自動車などの完成車メーカー（アッセンブラー、

ＯＥＭ）だが、欧州勢では、むしろ独ボッシュや独コンチネンタルといったティア１（完成車メーカーにモジュール製品などを直接納入する）と呼ばれる部品メーカーとなっている。

守りの知財戦略に重要な「差別化特許」と「戦える特許」

特許の創り込み活動

オープンイノベーションのためには「攻めのオープンな知財戦略」に注目が集まるが、競争が製品中心の業界においては、今なお、「守りのクローズな知財戦略」も重要だ。競合他社との製品や事業の差別化、知財紛争リスクの低減を図るため、「守りのクローズな知財戦略」に継続して取り組む必要がある。すでに少し触れたが、競合他社との差別化を実現するための「特許の創り込み活動」と、競合との知財紛争に備えた戦える特許を準備する「５ＦＰ活動」を紹介しておこう。

研究開発の成果に対して特許を取得したりノウハウとして秘匿したりすることで、製品や事業の差別化を実現できる。これを「差別化特許などの創り込み活動」という。ホワイトスペースなどを使って、ある市場で有力なソリューションを構成する技術要素について、競合他社が特許を取得していないかどうか評価を行う。そして特定の技術領域において自社で隙間なく特許やノウハウの網を構築していくことで、ライバルが特許などを取得できないようにして差別化を実現する。

「知財の創り込み」によって競合他社が利用せざるを得ない特許・ノウハウを取得して権利行使をすることにより、ライバル側のカウンター特許のリスクを低減し、自社の事業の自由度を確保する。また競合他社が特許をあまり取得していない領域において単独で特許網を構築することができれば、ライバルに対して強固な差別化を実現できる。

差別化特許などを創り込んだ後は、ライバルが事業を進める上でその知財に抵触していないか絶えず監視しておき、知財に抵触している疑いが出てきた場合はただちに警告など権利行使をする。迅速な権利行使が事業の差別化を維持する上で重要だ。権利行使のタイミングが遅れると、競合他社が特許網を構築することを許してしまい、相手側の特許が自社に対するカウンター特許として機能してしまう恐れがある。

そうなってしまえば、ライバルと特許の使用を認め合う包括クロスライセンス契約を締結せざるを得なくなってしまう。互いに事業や製品の特許を利用し合うことになり、差別化ができなくなり、市場でいわゆるガチンコの価格競争となる恐れが出てくる。仮に包括クロスライセンスを取り交わした企業との間でも、知財の利用を許諾する技術領域とは別に、差別化特許の創り込みを行った技術領域は許諾の範囲から除くことを規定する条項を盛り込むなどして、差別化を取り戻すべく努力すべきだ。

「戦える特許」の重要性

医薬など1製品・サービスに1特許が成立する業界では、特定の医薬品メーカーがその製品の特許を保有していることは周知となり、権利行使するまでもなく、ライバル他社が当該特許を尊重することが多いため、製品や事業の差別化が実現できることもある。ただ電機業界などは1製品・サービスの中に、極めて多数の特許が存在しており、ライバル企業が自社の知財に抵触していないか絶えずウオッチしておくことが重要になる。

自社が事業を進める上でライバルの特許に抵触してしまう事態に備えて、相手が利用する可能性の高い分野で「戦える特許（Fighting Patents）」を取得しておき、相手とクロスライセンスに持ち込める状況にしておくことが重要である。しかしライバルとクロスライセンスに持ち込んだり、相手が強硬な姿勢をとった場合に発生する特許紛争に耐えたりするには、「戦える特許」は1つや2つでは不十分だとされる。

通常、特許を権利行使して、最終的に裁判などで争う場合は侵害性（被告の製品・サービスが、原告の特許の範囲に含まれるか否か）と特許無効性（原告が行使した特許が、そもそも有効か無効か）などが争点となる。そして裁判官に「被告の製品・サービスは原告の特許を侵害していない」とか「原告の特許は無効である」と判断されてしまうリスクがある。

そこで特許を権利行使する場合は、５件の「戦える特許」を持つことが経験則上重要といわれている。したがって顧客にとって魅力的なソリューションを構成する技術の中で、ライバル他社が有力な特許を保有している領域でクロスライセンスに使える特許を創り込み、クロスライセンスを結ぶ際の材料にする。（市場のある国ごとに）主要なライバル社に対して５件の特許を創り込むことを目標とする。これを５ＦＰ活動と呼ぶ。

各経営戦略・ビジネスモデルとの関係

改めて、戦略を整理してみると……

さて、ここまで本書の焦点である「攻めのオープンな知財戦略」と、同戦略にかかわる経営の要素、例えば「プラットフォーム戦略」や「二面市場戦略」、あるいはソリューションビジネスといったビジネスモデルなどとのかかわりを説明してきた。これら各種の経営の要素と、「攻めのオープンな知財戦略」との関係性を読者の皆さんに正確にとらえていただくため、改めて各用語の定義とそれぞれの関係性をまとめて記しておきたい。

「攻めのオープンな知財戦略」　知財をオープンに提供して提携の動機付けとして活用し、他社（系列外企業）と「ビジネス・エコシステム」を構築して事業提携を実現することにより、既存事業の変革を行う知財戦略をいう。その類型として、「提携して取り込む事業が自社の既存事業と同じ事業である」ケースと、「提携して取り込む事業が自社の既存事業と異なる事業である」ケースがある。

例えば、前者はダイキンのようにインバーターの知財を提携の動機付けとして競合他社の中国・格力と組み、そのコスト削減能力、販売力を自社事業に取り込むことで、自前では実現できない製造・販売の能力を得た。後者は米モンサントの事例のように、種、肥料などの実証データの知財を提携の動機付けとして、データ分析などのスタートアップの技術と能力を自社事業に取り込むことで、既存の種事業を自前では実現できないようなデジタルサービスに進化させた。後述の戦略・用語を実現するために不可欠な知財戦略と位置づけることができる。

「エコシステム戦略」　系列外の企業同士で、互いの業界や事業で連携することで自社や系列内では実現できないような収益構造を持つビジネスにおける生態系（ビジネス・エコシステム）を構築し、競争優位を確保したり社会課題を解決したりするビジネス戦略をいう

「プラットフォーム戦略」 ある事業分野のサービスの価値を高めたり効率化を果たしたりするバリューチェーン上で、利益を持続的に確保する「収益獲得事業」と、利益を度外視して顧客を獲得する「顧客獲得事業」を並立させ、両者を組み合わせたビジネスの仕組みを「プラットフォーム」といい、そのプラットフォームを用いて自社や系列内では実現できないような収益の確保と社会課題を解決することを狙うビジネス戦略をいう

「二面市場戦略」 バリューチェーン上で持続的に利益を確保する収益獲得事業と、利益を度外視して顧客を獲得する顧客獲得事業をつなぐサービス（ソリューションビジネス）を提供することにより、2つの事業が互いに相乗的に市場を増大させ、二市場を組み合わせた利益を高めることができる経営戦略をいう。先に説明したプラットフォーム戦略と実質的に重なり合う関係にある

「キーストーン」 生態系において、その生態系の機能や存続に影響を与えるような役割を持つ「キーストーン」と呼ばれる特定の種の生物が存在する現象をアナロジーとしてとらえたビジネス用語。ビジネス・エコシステムの中で、このキーストーン種のようなビジネスにおける

影響力が非常に強い企業（プラットフォーマー）が、バリューチェーン上での収益獲得事業と顧客獲得事業をつなぐソリューションビジネスを提供することにより、キーストーン的な役割を担う現象をいう。プラットフォーム戦略におけるプラットフォーマーの役割を強調する言葉ともいえる

「ソリューションビジネス」　顧客（需要者）が抱えている課題を、ビジネスパートナー（供給者）として解決していくビジネススタイルのことをいう。バリューチェーン上で持続的に利益を確保する収益獲得事業を起点として、利益を度外視して顧客を獲得する顧客獲得市場事業において魅力的なサービスを提供する

「両利きの経営」　既存事業を深めていく「知の深化」と、新規事業を展開する「知の探索」を両輪として会社を経営することの重要性を、右手と左手を自在に動かせる「両利き」になぞらえた経営論をいう

各用語の関連性

各用語の定義に続いて、それらの関係性をとりまとめてみよう。まず、グローバルなビジネスにおいて各業界の構造が、従来の系列内での研究開発に励み、生まれた知財は独占的に囲い

込み、競合他社に対する優位性を保つ垂直統合型（事業開発の方向性でいうと「知の深化」）が有効な時代から、系列外企業を取り込むオープンイノベーション（事業開発の方向性でいうと「知の探索」）を追求して事業を徹底的に効率化し、既存・新規の競争相手に対して競争優位を確保するエコシステム型に変わってきている。

このエコシステム型のビジネス環境の中で、バリューチェーン上での利益を持続的に確保する「収益獲得事業」と、利益を度外視して顧客を獲得する「顧客獲得事業」を並立させ、両者を組み合わせたビジネスの仕組みを「プラットフォーム」という。このプラットフォーム上で企業が両者をつなぐ「ソリューションビジネス」を提供する。そのために系列外の企業と提携して「ビジネス・エコシステム」を構築し、自社（系列内）では実現できないような収益の確保と社会課題を解決することを狙うのが「プラットフォーム戦略」である。

バリューチェーン上の収益獲得事業、あるいは顧客獲得事業のいずれかで競合他社がシェアを獲得し利益を上げているとする。この場合、自社は競合他社が利益を上げている市場で利益を度外視したビジネスを展開すれば、利益は得られないが競合他社からシェアを奪うことができる。自社の収益は別の市場でソリューションビジネスを展開し確保しているから、利益を上げられなくなった競合他社を事業破壊に追い込むことができる。これがプラットフォーム戦略の強烈な効果である。

２つの事業（市場）を使い分けることから、経営戦略的には「二面市場戦略」ということもできる。プラットフォーム戦略は、エコシステム型の業界構造をとる多くの業界で、自社や系

図表13　知財戦略と様々な戦略

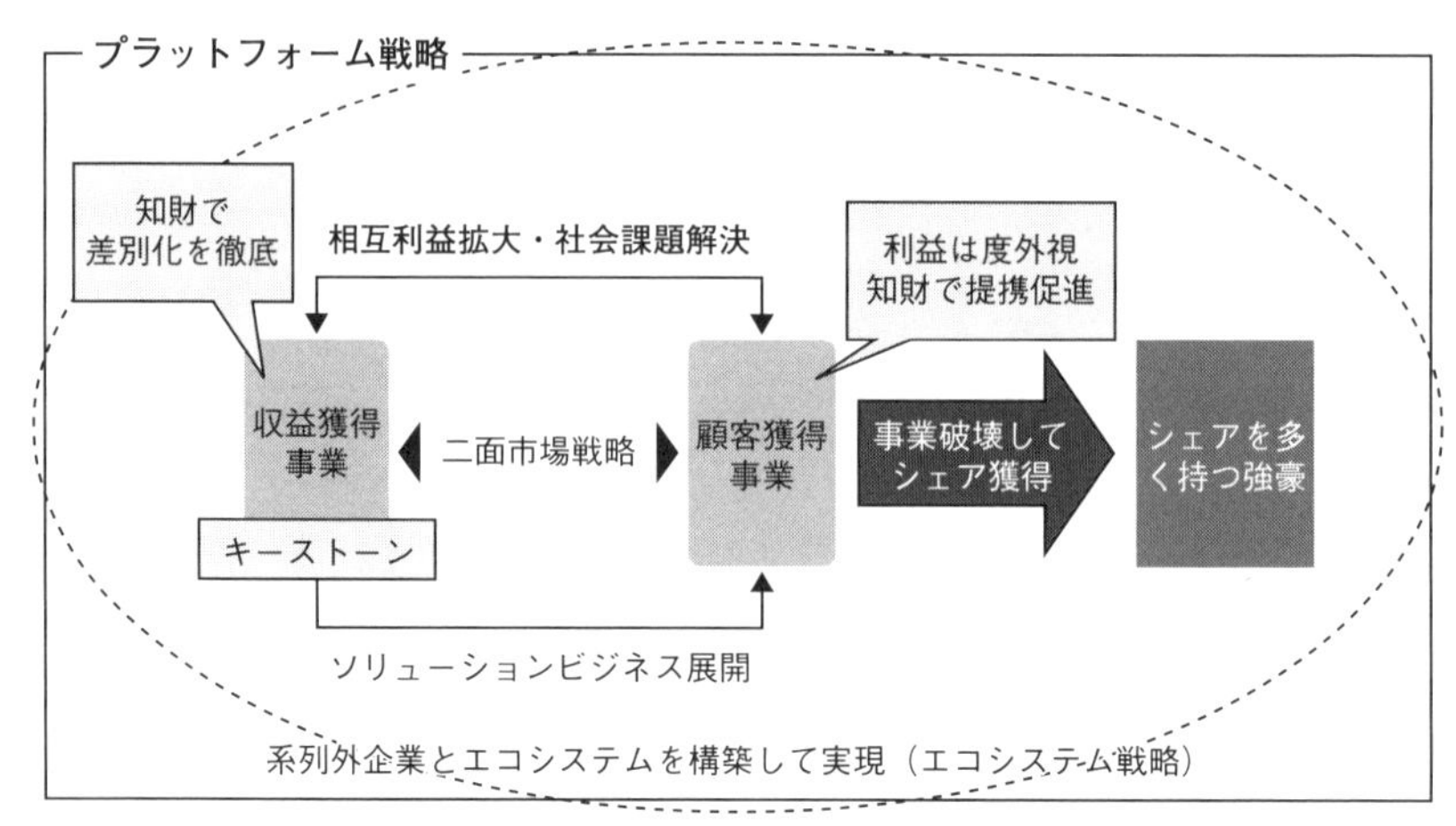

上記を達成するため「攻めのオープンな知財戦略」が必要

列内では実現できない収益の確保と社会課題の解決を両立できるビジネス戦略である。シェアを多く持つ競合他社に事業破壊を仕掛けることができるため、グローバル市場で圧倒的に強力な勝ち筋となるための戦い方であるといえる。

そして「攻めのオープンな知財戦略」こそ、プラットフォーム戦略を実現する際に重要となる系列外企業とビジネス・エコシステムを構築する際の提携の動機付けとなる。提携先の事業の課題を解決できる技術・ソリューションを知財として提供（オープン化）し、提携を実現する。「攻めのオープンな知財戦略」なくしては、上記のエコシステム戦略も、プラットフォーム戦略も、二面市場戦略も実現することは難しい（図表13）。

「攻めのオープンな知財戦略」なくして

は、自社がバリューチェーン上におけるキーストーンやプラットフォーマーとなったり、ソリューションビジネスを展開したりすることは困難だといえる。また「攻めのオープンな知財戦略」は両利きの経営を目指す企業にとっても、有効な手法となり得る。企業の経営戦略において知財の果たす役割が増しており、エコシステム型のビジネス構造となっている多くの業界において、「攻めのオープンな知財戦略」こそが、グローバル市場で圧倒的な勝ち筋となるために不可欠の戦略といえるのだ。

「攻めのオープンな知財戦略」導入に向けて

「攻めのオープンな知財戦略」の意義

再度、ここで「攻めのオープンな知財戦略」の意義を確認しておく。１９８０年代まで日本企業が得意としていた製品中心の市場では、従来からの「守りのクローズな知財戦略」が有効に機能した。その中で、日本企業との競争に敗れた米国企業は、ＩＢＭが先陣を切ったように製品売りビジネスからソリューションビジネスへと転換し、その過程で（主として新興国・発展途上国を中心とした）系列外企業を取り込むビジネス・エコシステムを構築するための、新たな「攻めのオープンな知財戦略」を編み出した。

真に効率的なエコシステムを作るには、しがらみのない系列外企業と組む方が有利だ。ただ系列外企業とアライアンスを組むためには、そのパートナーの事業を支援できる知財（特許・ノウハウ）を用意し、オープン化して提供する必要がある。そうすれば相手も喜び、円滑にエコシステムを構築できる。しかも知財を提供する際にライセンス契約を締結することで、本来は統制の利かない系列外企業にガバナンスを利かせることもできる。

知財をオープン化することで、自社だけでは実現できないレベルでの事業の効率化を図ることができる。知財のオープン化で新興国や途上国の系列外企業と手を組めれば、短期間に製造コストを大幅に削減したり、有力な販売チャネルを獲得したりすることができる。データを保有する企業とアライアンスできれば、データ統合により事業効率化を図ることができる。結果的に、（高品質でありながら極めて低価格など）自社や系列内では実現できないレベルの製品・サービスを、顧客に提供することができる。

経営戦略としての二面市場戦略の観点からは、ある市場では知財をオープンにして競争を促進することができ、その事業領域ではあえて製品やサービスのコモディティ化を促すことで、自社では実現できないレベルの事業効率化を図ることができる。その事業領域で高い収益を上げているライバル企業がいた場合は、その事業はコモディティ化してしまうため、ライバル企業は一気にシェアを失うことになり、その事業を破壊されてしまう。

近年、電機・ＩＴ業界などで一気にシェアを奪われて事業破壊に見舞われるケースがみられるが、このような知財のオープン化による特定の事業領域のコモディティ化が要因となっていることが多い。したがって競争戦略を描く場合に、バリューチェーン上のどの事業領域で知財をオープン化するのか、そのバリューチェーン上で大きな影響力をもっている企業からどのようにしてシェアを奪うのかという観点がとても重要になっている。

以上が、現在の経営において「攻めのオープンな知財戦略」が重要になってきているという背景・理由である。企業の関係者ならば、一般的に「知財・無形資産戦略は重要だ」と誰もが認識しているだろうが、従来型の「守りのクローズな知財戦略」に加えて、ことほどさように、新たな「攻めのオープンな知財戦略」の重要度が増しているとの認識が、極めて重要になっていることが分かるだろう。

「攻め」と「守り」、事業ごとに判断できる準備・体制を

ここまで、企業の知財戦略が大きく「守り」と「攻め」、あるいは「クローズ」と「オープン」という切り口で分かれ、現在では世界的にビジネスキーワードとしてのオープンイノベーションやソリューションビジネス、ＤＸ、経営戦略としての二面市場戦略、ビジネス戦略とし

てのプラットフォーム戦略が進展していることなどから、それらと不可分である「攻めのオープンな知財戦略」に大きな注目が集まっていることを紹介してきた。

企業が知財・無形資産を活用するといっても、これまで通りライバル社に対する「守りのクローズな知財戦略」を引き続き重視するという判断も、もちろんあり得る。例えば既存の事業で十分な収益を保っている場合はこれにあたる。自社が長期的に育てようと考える事業、十分に儲けることができている事業においては、ライバル社との差別化を狙う「守りのクローズな知財戦略」が依然として有効だからだ。

一方、経営として新たな事業分野でイノベーションを志向し、積極的に系列外企業を巻き込んでビジネス・エコシステムを構築するための「攻めのオープンな知財戦略」を採用するという判断も、これからの多くの日本企業にとっては極めて重要だ。そうすれば、これまでのモノ売り中心のビジネスから脱却し、自社（あるいは系列内）では実現できない画期的なソリューションビジネスや、顧客にとって魅力的なサービスを創り出し、特定の事業分野に欠かせない地位を占めるプラットフォーマーに変身することも可能だからだ。

特に、競争が製品中心の事業からソリューションビジネスに転換されている業界では、ライバル社との競争では引き続き「守りのクローズな知財戦略」は維持するものの、ソリューションビジネスでは顧客から見て高品質で低価格な製品・サービスの提供が自社だけで実現できない場合が多いため、系列外企業とのアライアンスやオープンイノベーションに必要なエコシステムを構築するための、「攻めのオープンな知財戦略」が非常に大切になる。

会社の規模が一定以上となれば、複数の事業領域、複数の製品・サービスを抱えている企業がほとんどだろう。「選択と集中」もすぐに断行することは難しい。他社の屋台骨になっている事業、ライバルが儲けている事業において「攻めのオープンな知財戦略」を採用し、ライバルの製品やサービスを陳腐化させる戦略は有効な選択肢だろう。同時に自社が強みをもつ事業では収益維持のために、ライバルに対する「守りのクローズな知財戦略」も強める必要がある。どちらか一方ではなく、知財戦略を使い分けることがポイントだ。

こうした判断が臨機応変にできるよう、企業は自社の手掛けている各事業のポートフォリオ、各事業で用いることができる知財のポートフォリオを的確に評価・把握しておき、経営陣や経営支援機能をもった社内部門が中心となって適切な知財戦略をとることが、企業の生き残りや持続的成長に欠かせないことを、再度強調しておきたい。

第2章

「攻めのオープンな知財戦略」策定のアプローチ

BEST MANAGEMENT LEVERAGING
INTELLECTUAL PROPERTY

第2部の第1章では、知財戦略が大きく「攻め」と「守り」に分かれ、近年では特に「攻めのオープンな知財戦略」の重要性が増していることを紹介した。既存の事業領域で成長が鈍化したり止まってしまったりしている企業には、ソリューションビジネスやオープンイノベーションへの挑戦が有効で、「攻めのオープンな知財戦略」が必要となるからだ。

では企業が「攻めのオープンな知財戦略」に踏み出すときには、どんな手続き、アプローチを取るべきなのだろうか。企業が知財戦略を決定するには、前提として全社で取り組む「経営の大テーマ（全社戦略）」がまず定まっているべきことはいうまでもない。

例えば脱炭素社会を目指すという社会的要請を起点とした場合、温室化ガスの低減、水や食料の供給、風力発電、電力需給を自動制御するスマートグリッドの実現といったテーマが浮上するかもしれない。成長戦略を起点とした場合、デジタル社会の基盤構築、デジタル技術で業務管理をするスマートファクトリーの実現、ソリューションビジネスやプラットフォームビジネスの展開といったテーマが対象となる可能性がある。

あなたの会社が経営の大テーマ（全社戦略）を策定できていない場合は、まず「前提ステップ」の段階を踏み、経営の大テーマを特定するところから始める必要がある。すでに経営の大テーマが定まっている会社ならば、「本ステップ」の0～3と進んでいく。

この「本ステップ」では、事業や製品・サービス単位の戦略を策定する。経営の大テーマを実現するため、データセンター事業、二酸化炭素（CO_2）の回収・利用事業、バーチャルパワープラント事業、生分解性プラスチック事業、機能性食品事業、量子コンピューターを利用した創薬事業といった、より具体的な事業・サービス戦略を、「攻めのオープンな知財戦略」を含めて策定していくことになる。

全社戦略の策定の手順

経営の大テーマ（全社戦略）を決める前提ステップについて解説する前に、その全社戦略の策定手順について説明しておこう。全社戦略は、①事業ポートフォリオ評価を行い、②評価結果に基づく戦略を検討し、それらを踏まえて、③企業のビジョン・ミッションを含む中期経営計画を策定していく、という手順となる。

①事業ポートフォリオ評価

事業ポートフォリオ評価は、例えば、市場性（シェア・成長率）×技術性（競合優位性）の軸で各事業の評価を行う。４象限で、市場性が強い／弱いのか、競合優位性が強い／弱いのかで、事業ごとの投資レベルを決める。

この評価に知財部門が参画すると、特許情報を加えて分析して、市場性（シェア・成長率）×技術性（競合優位性）の軸で各事業の客観的な評価が可能である。全社戦略を担当する経営企画部門などは、知財部門と連携して、ＩＰランドスケープ活動に取り組むとよい。

②各事業の事業戦略の検討

・新規事業テーマの発掘・選定

社内外の特許情報を分析すると、保有技術が既存事業以外の事業に活用できる可能性を評価することができる。可能性のある事業の将来市場性・外部内部環境分析を通して、企業としての新規事業テーマ選定を行う。

・既存事業に対する事業変革（ビジネストランスフォーメーション＝ＢＸ）の必要性の評価

既存事業の将来市場性・外部内部環境分析を通して、ＢＸを起こさないと競合他社により事業が破壊される可能性を評価できる。この評価の結果から、既存事業を維持できるか、維持できずにバリューチェーン上流や下流の他事業を取り込んでＢＸしないければならないかの判断ができる。新たな事業を取り込むＢＸがプラットフォーム戦略そのものである。

新たな事業を取り込むＢＸすなわちプラットフォーム戦略の検討では、新たな事業でのプレイヤー及び保有技術などをベンチマーク（基準づくり）することで、自社内での事業化か、他社との提携／M&Aで事業を組み立てるかの判断を行う。他社との提携／M&Aする場合は、提携の動機付けとして知財が活用できないか検討し、実際の提携時には、その事業戦略を実現できるように交渉戦略を策定する。

一方、新たな事業を取り込むBXが必要でない事業では、今まで通りの事業戦略（事業撤退も含む）とそれに沿った知財戦略を策定することになる。

・事業が破壊される可能性・リスク評価

事業ポートフォリオ評価には事業が破壊される可能性・リスク評価も含めるべきである。電機機械などの業界では、破壊的イノベーションにより、ライバルに一気にシェアを奪われるケースが見られており、近い将来、自社でもこのように事業が破壊される危険性があるかのリスク評価も行う。産業構造（アークテクチャ）の変化をいち早く察知して適切な対応をしなければ、事業破壊を起こされ、シェアを一気に失いかねない。このような産業構造の変化に対抗するには、以下のように、対応①と対応②が求められる。

対応①は、産業構造の変化や事業が破壊されるリスクの察知・評価である。

まず、自社の事業以外で、バリューチェーン上の収益ポイントの事業のプレイヤー（スタートアップも含む）が自社の事業へ参入する動きがあるか、である。答えが「イエス」の場合、事業破壊リスク「レベル1」と判断する。

次に、競合がバリューチェーン上の自社事業以外の収益ポイントの事業に参入する動きがあるか、である。答えが「イエス」の場合、よりリスクの高い事業破壊リスク「レベル2」と判断する。

対応②は、産業アーキテクチャの変化への対抗措置である。競合他社の動きに対抗して、攻めの知財の活用によるオープンイノベーションを行う。自社にない事業を競合他社が保有する場合、彼らは当該事業で収益を上げることができるので、自社と競合している事業での利益を限界まで下げることができる。これにより、自社はその競合他社にシェアを奪われ、事業破壊を起こされる可能性がある。このため、シェアを奪われないようライバルが保有する事業を自ら取り込む必要がある。

事業戦略の策定の手順

ここまで行ってきた自社事業のバリューチェーンにおける競争環境の分析、及び他社の事業分析（必要に応じて知財情報含む）に基づき、経営・事業・技術の各企画部門長に対して戦略（事業／技術戦略）づくりやアクションプランづくりを指示していく。ライバルの事業転換の動きなどから、モノ売りからコト売りへの事業転換を図ったり、事業と事業をつなげてのプラットフォーム戦略をとったりすることが必要となる。

戦略的提携やM&Aの必要性の検討、さらに提携が必要な場合はその役割分担など、提携候補企業のベンチマークを踏まえて、戦略を策定していく。さらに、事業／技術パートナー探索や戦略的提携／M&Aの実行支援、事業／PoC（概念実証＝サービスや製品に用いられるアイデアや技術が実現可能かを確認する検証作業）の企画・実行などを計画していく。PoCの企画には、技術／事業のケイパビリティの見極めに加えて、知財を含む提携の条件についての交渉戦略も含む。

事業戦略と知財戦略の融合の手順

R&Dの成果について、どう知財を取得するかという従来からの知財戦略に加えて、最近はオープンイノベーションやプラットフォーム戦略などの経営戦略に、どう知財・無形資産を適合させるかの「戦略知財」の策定と実行支援も必要となる。

ここでいう知財戦略とは、知的財産によって競争力やリスクを確保・維持・強化する経営手法である。一方で戦略知財とは、企業のミッションや経営目的を達成するために適切に経営戦略に適合させる知財・無形資産をいう。戦略知財においては、オープンイノベーションやモノ売りからコト売りへのビジネス転換、エコシステム戦略への転換などダイナミックに変わる経営戦略に適合する形で知財に対する投資を判断しなければならなくなっている、ダイナミックに変化する経営戦略を把握することで、どのように知財を適合させるかを検討することで、戦略知財を実現させることができるのである。

前提ステップ 全社で取り組む大テーマの体系化・優先順位付け

大テーマを選び出す手順

先に述べた手順に沿って、まず全社で取り組む大テーマ（全社戦略）を策定する。ここで決める大テーマとは、繰り返しになるが、温室効果ガスの低減、デジタル社会の基盤構築などといった全社で取り組む経営戦略を指す。全社の経営戦略を策定した後、事業単位など、より詳細な戦略を策定していく。全社テーマを策定する主体としては、経営企画部門などがプランを立て、役員会などで討議することが考えられる。

例えば、既存事業と関係なく新たな事業を開発したい場合や、既存事業の周辺で新たな事業を開発したい場合は、この「前提ステップ」で全社規模の経営戦略テーマを選定する。一方、既存事業での事業改革を行う場合や、すでに決まっている経営戦略の内容を決める場合などは、次の「本ステップ」から進めればよい。

最初は、インターネットや文献などで既存の統計やデータを収集・分析する「デスクトップ調査」を行う。競合他社やバリューチェーン上の重要なプレイヤーなどの動向を把握した上で、経営の大テーマを策定するため、顧客にとっての価値を生み出す「キーとなる技術」を選び出す。顧客にとっての価値を生む「キーとなる技術」とは何か。例えば「モノ売り事業」から「コト売り事業」へと変化している業界では、モノを売った後の「メンテナンスサービスで顧客のニーズを満たす技術」などがこれにあたる。

具体的には、素材（例えば化学品）メーカーでは、その素材を用いたより下流の製品（例えば自動車の外装部品）の製造技術などがこれにあたる。こうした製造技術は自社で使うというよりも、例えば提携する途上国の委託先企業に使用させて、その製品の製造コストを下げるために使ったりした方が有効だ。自社のバリューチェーンの上流・下流にいる取引先企業の事業の助けとなる製造仕様の技術情報などが、この後のプラットフォーム戦略、オープン&クローズ戦略を実施する上で、重要なベンチマーク（基準）情報となる。

従来からの、競合他社に対する「守りのクローズな知財戦略」の場合は、競合他社の製品・サービスを中心に「キーとなる技術」のトレンドを分析すればよかった。しかし近年のオープンイノベーションの進展により、競合企業も既存事業のバリューチェーンの上流・下流に存在している事業を統合し、ソリューションビジネスを展開しようとしている可能性がある。だから自社のバリューチェーンの上流・下流にいる取引先企業の事業の助けとなる技術も含めて、「キーとなる技術」を選び出す必要が高まっている。

ソリューション単位の大テーマとは？

このようなソリューションビジネスが主となる業界での分析では、キー技術に関するグローバルなトレンドを特許分析（ＩＰランドスケープ）などで把握し、そのトレンドごとに潜在的な顧客を特定した上で、デスクトップ調査やＩＰランドスケープでその潜在的顧客の特許出願などを分析し、その潜在的顧客が求めるソリューション（商品、サービス）を把握することが重要となる。

ソリューションは、例えば、素材（モノ）の事業と、その素材（モノ）のメンテナンス事業、あるいはその素材の下流のプロダクト事業など、２つ以上の事業をつなげることで、顧客の一つの事業で発生している課題を、他の事業で解決することが狙いだ。一つの事業を持続的に収益が獲得できる「収益獲得事業」と位置づける。他の事業は、その収益獲得事業においてシェアを獲得するために、破壊的な低価格で提供することも含めて、顧客にとって非常に魅力的に映る「顧客数獲得事業」と位置づける。ソリューションビジネスは、この２つ以上の事業（市場）で構成される。

特定の顧客が求めているソリューションを把握した上で、具体的な技術戦略・事業戦略を描く必要がある。このため特許などの分析も、例えば、素材（モノ）の事業とその素材（モノ）のメンテナンス事業など既存事業の周辺で想定される事業を特定した上で、その事業単位で行う必要がある。２つ以上の事業のつながりを想定して、その事業が顧客を獲得できるのか、あるいは持続的に収益性を確保できるのかを評価していく必要がある。したがって、複数の関連する事業を想定しての「ソリューション単位」で戦略策定テーマを抽出して、自社で取り組むべき大テーマの優先順位を付けていく必要がある。

ここで考えられる「ソリューション単位での戦略の大テーマ」とは何か。現在の脱炭素社会の需要を考えれば、例えば、サーバー省エネソリューション（データセンターに置かれた大量のサーバーを省エネルギーでメンテナンスする）、EVフリートソリューション（普及した多数の電気自動車〈EV〉をフリート〈群れ〉として管理し、企業や地域社会にとって効率的な電力の需要や蓄積を実現する）、生分解性プラスチックのリサイクル事業などといったテーマが浮上することが考えられる。

大テーマの優先順位付けは、あなたの会社のもつ技術や人材などのリソース（資源）を考慮して決めることもあるだろうが、オープンイノベーションが進展していることから、必ずしも自社でリソースを持っていなくても、オープンイノベーションを前提として、「商売になりそうなネタ」を優先することも多くなっている。競合他社が優位な状況か否か、自社が販売チャネルを持っているか否か、といった点なども考慮して最終的な順位を定める。

例えばIBMのサーバー省エネソリューション事業は、太陽光発電パネル事業と、蓄電池事業と、サーバー事業と、サーバーのメンテナンス事業などから構成されるソリューションである。これら関連する事業をつなげたソリューション事業について、IBMは構成する各事業の現在と将来の市場規模や、どの事業を差別化の収益獲得事業とし、どの事業を顧客数獲得事業とするかを検討する上で、競合の動向、各事業に対する顧客のニーズなどを調べ上げた。さらに各事業に対する各国における規制や税優遇措置、貿易規制の状況などを把握した上で、企業として事業開発を進めるソリューション、戦略テーマの優先順位を定めた。

その結果、ＩＢＭは上記のサーバー用省エネソリューションの事例では、次世代技術であった非シリコン系のＣＩＧＳ（セレン化銅インジウムガリウム）太陽電池モジュールを量産するため、同モジュールの技術開発について半導体材料メーカーである東京応化工業との提携を決めた。一方、製造コストを削減するための事業開発の面では、太陽光発電システムメーカーのソーラーフロンティアなどと提携した。その結果、開発期間を短縮したのみならず、自社では実現できないレベルの技術・事業開発の実現に成功したのである。

では、次に本ステップとして、事業、製品、サービス単位の戦略策定の手順について解説していこう。

本ステップ０ まずは各事業部門の戦略担当者のヒアリング

戦略的仮説について検証する

全社で取り組む大テーマが決まったら、次に事業、製品、サービス単位など特定分野の戦略を策定する。その主体としては、経営企画部門や事業部の企画部門、先進的な知的財産部門などが考えられる。このステップでのポイントは、各事業部門で戦略策定の責任を負っているキーパーソン、幹部の「戦略的仮説」をヒアリングすることだ。まず幹部のインタビューを通じていったん戦略の仮説を構築し、他の情報分析や他者へのインタビューなども取り入れて検証することで戦略の成功の確率を高めていく。

経営企画部門、知的財産部門などが特許情報などを分析するＩＰランドスケープに取り組む場合も、事前に事業部門の戦略責任を負うキーパーソン、幹部のインタビューを通じて仮説をいくつか準備し、その仮説を検証するようにした方がよい。なぜなら通常、こうした事業部門の幹部らは「どんな潜在的な顧客にどんなソリューションを提供すれば事業としてうまくいくか」という自身の仮説をもっていることが多いからだ。

特定の事業の企画部門などが戦略を策定する際には、社内の他の事業・部門とのつながりで、どんなソリューション展開が可能かという仮説の検証を行うのがよい。少なくとも関連する他の事業部門との連携をどのように進めていくのかも具体的に考えるようにする。経営企画や各事業部の企画部門などで戦略策定の責任を負う幹部の仮説を実行するため、社内のリソースを最大限活用できるか、他部門と連携してアクションを取ることができるかも事前に十分に検討した上で、アクションプランなどに落とし込むようにした方がよい。

戦略策定は唯一の正解というものがなく、人工知能（ＡＩ）を使った分析などをすると、潜在的な顧客やソリューションが数多く抽出されることも多い。だから自社の目指すべき方向など各事業部門で戦略策定責任を負う幹部が、日ごろから検証したいと考えている仮説については少なくとも検証すべきだ。その過程で、そうした社内の幹部の描く戦略と、戦略策定のため分析や調査を行う経営企画、事業企画部門や知財部門などの担当者との問題意識のギャップを小さくできる。

企画部門と知財部門が連携する

日本企業の場合、会社の経営戦略を描く組織とはどこか。今はやりの脱炭素社会を意識した温室効果ガス低減といった社会課題起点のテーマや、デジタル社会基盤といった競争・成長起点で取り組むテーマの場合は、「経営企画部門」などであることが多い。一方、モノ売りからコト売りなど既存事業をソリューション展開したりプラットフォーム戦略を展開したりする場合では「事業企画部門」などが行うことが多い。

一方、先進的な知財部門が戦略策定のために分析や調査をする場合もある。知財部門は通常は戦略策定にかかわる部門ではないため、提案後に戦略の実行につなげるためには、他部門との役割分担と認識合わせはより重要になる。知財部門が知財情報の分析などを実施して戦略提案するケースでは、事業・技術などの企画部門が独自に戦略の仮説をもっている場合が多いことから、その仮説の内容をしっかりとヒアリングして、知財部門はＩＰランドスケープなどを通じてその仮説を検証すべく努力するという意識が重要になる。

企画部門のもつ仮説以外の戦略の仮説の検証を試みること自体はもちろん良いことであるが、知財部門が提案した戦略を、その後に事業・技術の企画部門が実行できるかどうかは、知財の分析で検証できる内容以外の要素も影響してくる。そのため知財部門が実現につながる戦略の提案をする確度を高めるためにも、事業・技術企画部門が独自に戦略の仮説をもっている場合は、その仮説をしっかりと検証しておくことが、とても重要である。

本ステップ1 ＩＰランドスケープなどを駆使した外部・内部環境分析

外部・内部環境分析のポイント

ステップ1として取り組むのは、バリューチェーンや競合企業など外部環境の分析、そして自社の強みなどの内部環境の分析である。まず、デスクトップ調査などで主要な競合他社やバリューチェーン上での影響のあるプレイヤーの動向を調査する。潜在的な顧客と市場において需要のあるソリューション、「キーとなる技術」なども把握しておき、検証すべき仮説に追加していく。

次にＩＰランドスケープを通じて、自社が取り組む事業、製品、サービスの単位、あるいはその事業で他社が積極的に投資している技術トレンドごとなどに、自社と他社との相対的な技術力、優位性を検証・評価する（競合分析）。

同時にその事業や技術トレンドごとに、現在と将来の市場規模（市場分析）、どの事業を差別化の収益獲得事業とし、どの事業を顧客数獲得事業としているのかを決めるために、潜在的顧客のニーズなどを把握する（顧客分析）。その上で、自社として開発を進めようと考えるソリューションが、持続的に収益をもたらすビジネスになりそうかといった点を評価する（内部環境分析）。

戦略仮説を検証する

外部・内部環境の分析においては、新規に取り組む事業を探索することと、当該事業でのソリューションの構成技術のトレンド分析の両方を実施し、技術・事業戦略を検証する。その検証にあたって、客観的でエビデンス（証拠）ベースでの戦略策定を追求する観点から、ＩＰランドスケープを使って、技術・事業戦略の仮説の検証を行う。そのアプローチは以下のようになる。

・市場（バリューチェーン）分析

新しい技術が開発され実用化の可能性が出てきた場合に、下流側の業界の企業で技術力を有する企業がその技術を利用した開発をし始めているかを検証する

・潜在顧客の探索

下流の業界・企業における特許出願、その動向を見ることで、新技術の潜在的な顧客を見いだす

・ソリューション仮説の構築

そのソリューションを実現する技術を開発し、当該業界・企業（特に新興国・途上国の企業）にソリューションを提供することで、新しいソリューションビジネスの機会を創出することができるか仮説を構築する

・提携候補先の抽出

トレンド分析により、ライバル他社や提携候補先の保有する技術を把握するとともに、事業戦略として、モノ売りからコト売りへのビジネスモデルの転換、プラットフォーム戦略やソリューションビジネスを展開しているかどうか、さらに、その事業を自前主義ではなくエコシステムで事業効率化を図っているのかの分析を行う。ソリューションを組み立てるのに必要な技術に関して特許分析を行い、グローバルの技術トレンドを把握して、技術を保有するスタートアップや事業会社をリスト化する。そして自社にとっての提携候補リストを作成する

図表14　戦略策定アプローチの全体像

ステップ1 外部・内部環境分析	ステップ2 攻めのオープンな知財戦略の設計	ステップ3 アクションプランへの落とし込み
① 市場分析（デスクトップ調査など） ■ 市場規模の分析 ■ 関連する規制の分析 ■ バリューチェーンを構成する事業の分析	⑤プラットフォーム戦略の設計 ■ 持続的な収益を狙う事業の分析 ■ 顧客数獲得を狙う事業の分析 ■ プラットフォーム戦略のビジネスモデル設計	⑦ 技術戦略への落とし込み ■ 新たな技術を自社で開発する場合、関連技術をR&Dロードマップへ反映 ■ 新たな技術をアライアンスで調達する場合、技術提携候補先を抽出し提携動機を確認
② 競合分析（IPランドスケープなど） ■ ベストプラクティスとなる競合とその強み分析	⑥ エコシステム戦略の設計 ■ 顧客数獲得・持続的な収益獲得・競合の収益事業破壊に向け、エコシステム戦略を採る必要性の検討 ■ 攻めのオープンな知財戦略策定	⑧ 事業戦略への落とし込み ■ ビジョンと事業目標の再設定 ■ 各種ロードマップ策定 ■ 戦略から基本合意書（MoU：Memorandum of Understanding）を作成
③ 顧客分析（IPランドスケープなど） ■ 顧客の課題やニーズを分析		
④ 内部環境分析（IPランドスケープなど） ■ 自社の強みを特定		⑨ アクションプランの策定 ■ 社内外への関係者へのアクションプラン整理

・技術・事業戦略の整理

事業・技術開発にあたり、既存事業の深化だけではなくバリューチェーンの水平方向での事業探索が必要となり、探索した事業を自社に取り組むために既存事業以外での技術開発を行い、そこで獲得した知財（特許とノウハウ）を提携先にオープン化し事業効率化を図ることで、1社では実現できないソリューションを開発する。それによって、既存事業者から圧倒的にシェアを奪う顧客価値の提供を実現できるかを検証する。これがＩＰランドスケープによって、技術・事業戦略仮説を検証することによる経営戦略上の意義になる

仮説の検証では、仮説を構築するのに活用した情報ソース、エビデンスとは別の情報ソース、エビデンスを用意することも必要だ。特許情報を中心に分析するＩＰランドスケープだけに頼ってはいけない。他社はわざとコア以外のダミー技術で特許出願することや、特許出願後に事業化されていない技術も含まれるからだ。

したがって特許以外のエビデンスも重要であり、例えば専門家インタビューなどで十分に検証しておくことが、後に経営レベルでの投資判断を仰ぐ上では重要になる。特許情報の分析以外に、デスクトップ調査、有識者インタビューなどを通して仮説を検証する。

本ステップ2　戦略の設計

エコシステム戦略の設計

ここまでの分析結果を基に、会社が事業単位やサービス単位で取り組んでいく「攻めのオープンな知財戦略」を設計する。まず、どんな系列外の企業とエコシステムを構築するのかという「エコシステム戦略」の設計だ。

ビジネス・エコシステムを構築するには、まずスタートアップ企業や新興国企業などの事業提携候補先を抽出し、その候補先に提携する動機があるかどうかを確認する。提携の動機が不足している場合は、候補先が欲しがる技術を想定し、その技術を自社やオープンイノベーションによって開発し、提携の動機付けとすることも検討すべきである。

次に提携候補先とのアライアンス戦略と「攻めのオープンな知財戦略」を策定し、各戦略を固めた上で提携候補先の絞り込みを行っていく（ミドルリスト化）。あなたの会社の技術が顧客のニーズやソリューションをとらえているのかを検討し、自社が保有していない技術については、開発を行うか、スタートアップなどとのオープンイノベーションをするのかなどを検討する。

自社の中核事業にエコシステムを構築する

系列外企業とエコシステムを構築するパターンは大きく2つある。1つめは、差別化したい自社の中核事業の中の一部にエコシステムを構築し、差別化のポイントを尖らせる場合だ。この場合、自社の強みを強化するには、スタートアップなどとの技術提携の必要性を検討する。

一方、競合他社が既存事業の効率化を図っている場合、自社も効率化を図らなければならない。例えば、モノ売り事業で競合が設計を自社で行い、製造を途上国の企業にアウトソーシングしていると、もはや製造コストでは勝ち目がない。このような場合、自社も設計事業は強みとして国内に残しつつ、製造事業は途上国の企業にアウトソーシングし、事業全体を維持できるエコシステムを構築する必要がある。差別化したい事業の一部でエコシステムを構築し、差別化のポイントを尖らせる戦略といえる。

例えばアップルは、スマートフォン「ｉＰｈｏｎｅ」などの主力製品のデザインや使い勝手、知財の開発と管理は米国カリフォルニアの自社で行い、製品の組み立ては中国の委託先工場に任せている。アップルの顧客は、アップル製品の独特のセンスを支持している。その好みに答える製品のデザインや設計は米カリフォルニアの先端的な環境で行い、製品そのものの製造はコスト削減を追求できる中国で行う。アップル製品に「Designed by Apple in California」「Assembled in China」と刻印されているのは、まさにこの差別化戦略を追求している証しだ。

系列外の他社とエコシステムを構築する

系列外企業とエコシステムを構築するパターンの2つめは、プラットフォーム戦略において、持続的に収益を獲得する事業とは別に、顧客を獲得する事業を生み出すために、系列外の他社とエコシステムを構築し、顧客からみて極めて魅力的な製品、事業、サービスを生み出す場合だ。目的は、自社だけでは実現できない徹底的なコスト削減であり、それによって同種事業を営むライバル社の事業破壊を狙う。プラットフォーム戦略の設計では、競合他社や顧客を分析して、自社が持続的な収益を狙える事業を検討する。

プラットフォーム戦略では、持続的に収益を獲得する事業と、顧客獲得を狙う事業とを別々にもつ「二面市場戦略」が基本となることはすでに述べた。そこで、自社のどの事業を収益獲得事業とするか、別のどの事業で顧客数獲得を狙うのかという検討を行う。競合他社やバリューチェーン上で顧客を多く持つ企業の収益獲得事業はどこかを見極め、その事業を自社では顧客数獲得事業と位置づけ、他社からシェアを奪うことを検討する。

二面市場戦略では、持続的に収益を獲得できる事業を別に獲得することが前提なので、顧客数獲得事業では必ずしも利益を上げる必要がなく、利益を度外視した価格を設定して、顧客からみれば極めて魅力的なサービスを提供することが可能となる。現時点でその市場でシェアを多く持ち、収益を上げているライバル企業の事業を破壊する効果があり、その市場で自社のシェアを一気に獲得できる可能性がある。

例えばインテルは、パソコンの重要部品であるマザーボードの事業を顧客獲得事業と位置づけ、自社のマザーボードに関する優れた技術・知財を台湾企業に無料で提供し、製造を台湾企業に委託した。その結果、台湾企業は安くて性能の良いマザーボードを製造し、そのマザーボードを搭載したパソコンは圧倒的な顧客とシェアを獲得した。このため、インテルはマザーボード事業では利益を得ていない。

しかし自社の技術を搭載したマザーボードが普及したおかげで、そのマザーボードを最も効率よく機能させるインテル製ＭＰＵ半導体チップ事業で、独占的なシェアと持続的収益を獲得した。二面市場戦略の代表といえる。

「攻めのオープンな知財戦略」を用いた系列外企業との事業開発は、系列内で進めるよりも、より短期間で効率的に進めることができる。だから自社（系列内）では実現できないレベルの製造コスト削減や品質向上など圧倒的な事業効率化を実現し、顧客にとって魅力的な製品やサービスを生み出州ことが可能になる。また有力な販売ルートをもつ企業と販路のアライアンスを組んだ場合、一気に市場シェア拡大を狙うことができる。

オープンにする領域とクローズにする領域を決める

「攻めのオープンな知財戦略」では、提携相手の動機を踏まえて、自社の知財をオープンにする領域を決める必要がある。プラットフォーム戦略でうまくいっている過去の事例の傾向を見ると、事業提携先として先進国企業よりも発展途上国の企業を選択しているケースが多い。先進国と技術格差のある途上国にとっては、先進国側が持つ先端的な技術・知財を得られることが提携の動機となるからだ。先進国企業の狙いは事業効率化を図ることで、だから発展途上国の企業を選ぶケースが増えるのだろう。

同時に、新たに開発するビジネスにおいて、収益獲得事業と顧客数獲得事業の各々での競合企業との差別化を実現できるポイントとして、自社の知財をクローズにする領域を決め、特許化とノウハウ秘匿の検討をする（守りのクローズな知財戦略）。ソリューションごとのグローバルな技術トレンドを把握しながら、技術戦略を策定する。ソリューション開発を行うのに必要な技術開発テーマを、R&D（研究開発）のロードマップに計上する。自社開発するのか、それともスタートアップなどとのアライアンスで開発するのかを自社の技術力またはサービス提供時期などを踏まえて決める。

さらに、すでに顧客シェアを多く持つ企業や製造コストを下げる能力を持つ企業との提携によって、一気に潜在顧客への販売チャネルを確保する「事業スケール化の提携戦略」も検討する。製造のコスト削減や販売チャネルの拡大など事業を拡大することについては、その能力を有する事業会社との提携も有力な選択だ。例えば、すでに紹介したダイキンの事例では、家庭用ルームエアコンでの世界一の販売シェアを保有する中国・格力との戦略的事業提携に踏み切り、一気に販売チャネルを確保すると同時に製造コスト削減も自社では実現できない水準を達成した。その結果、ダイキンは中国における家庭用エアコンのシェア拡大と利益率を一気に向上させた。

本ステップ３　アクションプランへの落とし込み

ここまでの分析結果、戦略の策定に続いて、具体的な技術戦略及び事業戦略への落とし込みをしていく。いわばアクションプランへの落とし込みである。

グローバルトレンド分析・提携候補先分析

ここでは、上記分析で浮上してきた「潜在的顧客に提供すべきソリューション」を構成する技術要素に着目してグローバルのトレンドを分析する。潜在的な顧客のニーズを満たすためには、どんなソリューションを生み出せばよいか。そのソリューションを実現するにはどんな技術を手に入れればよいか、その技術を手に入れるにはどんなパートナー企業と組めばよいかを検討する。

ソリューションを構成する技術ごとに、自社と競合他社との相対的な技術力・競合優位性を評価する。同時に、その技術ごとにどんな潜在的な顧客が存在しているか、その技術を有するスタートアップ企業に対する投資情報などを分析し、自社が取り組む候補に浮上しているソリューションがモノになりそうか検証する（図表15）。

商売になりそうだが、自社の競争優位性が低い領域②は、スタートアップなどとの提携を行うことが奨励される。商売になるか微妙だが、相対的に自社の知財力が高い領域③は、生産や販売、データ利用の効率化を図れる企業との提携が奨励される。このように領域ごとに、ソリューションの実現に必要となる技術をもったスタートアップや事業会社の提携候補リストを作成する。

ここでの戦略は、技術戦略と事業戦略とに分けて考える必要がある。もっというと、自社が

図表15　IPランドスケープによる競合優位性及び市場性評価

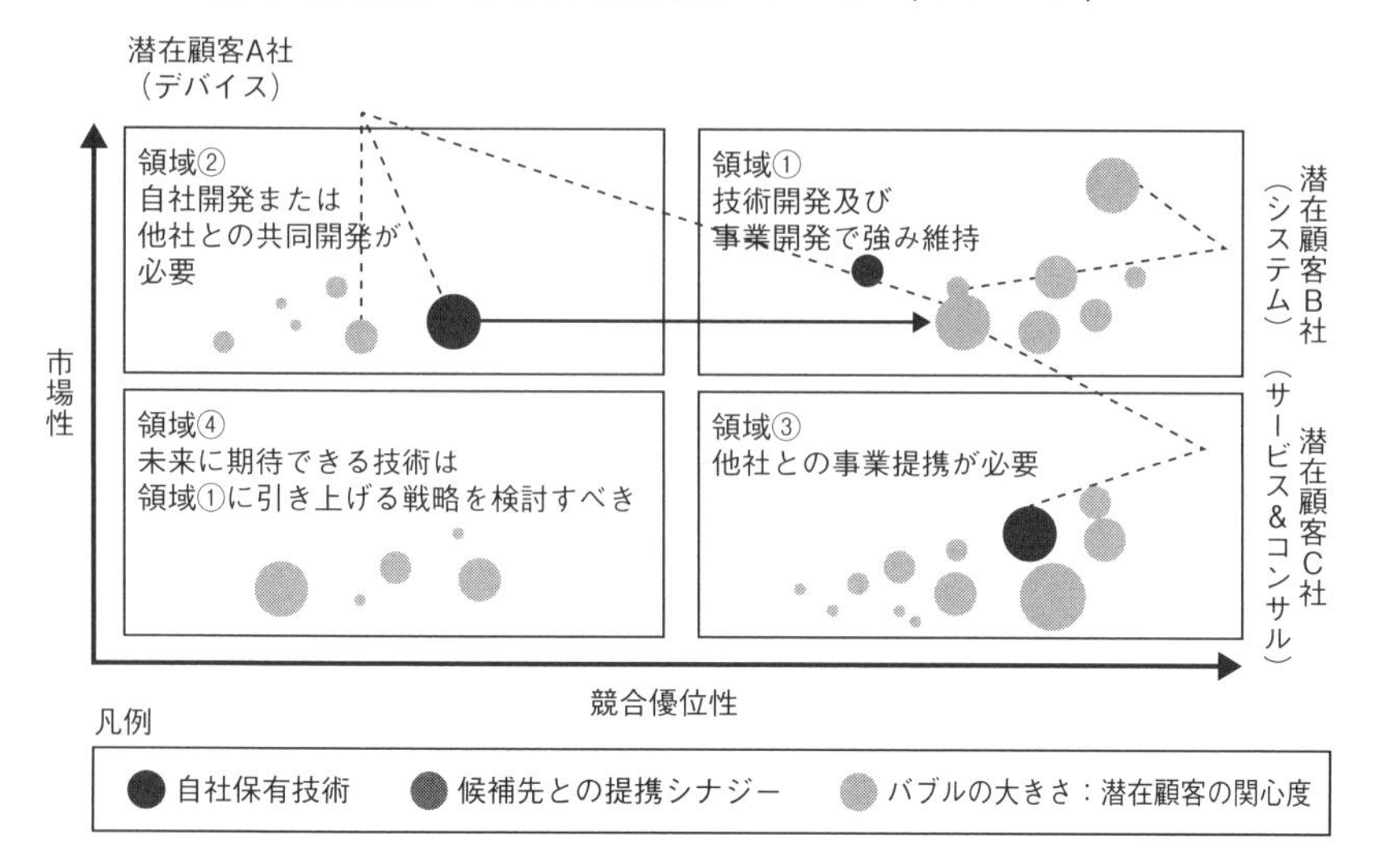

ポジショニング評価の考え方

#	領域の評価
領域① ①	・相対的イノベーション力・市場性がともに高い領域 ・自社のスコアが小さい場合、最優先で技術開発を行うべき
領域 ②	・自社開発やスタートアップとの提携により技術力を高めるべき領域 ・自社のスコアが小さい場合、①に次いで技術開発を行うべき
領域 ③	・事業効率化のための提携をすべき領域 ・自社のスコアが小さい場合、②に次いで技術開発を行うべき
領域 ④	・相対的イノベーション力・市場性の双方とも低い ・未来予測において期待される技術については①の領域に引き上げるための戦略を検討すべき

（注）国際半導体市場統計、データクレストにもとづいて作成

技術提携するスタートアップと、製造や販売の面で提携する事業会社は別に分析し、そのトレンドを把握することが大事なポイントだ。事業化の前には製品仕様など事業のために必要な技術を開発することは当然だが、このときに製品を自ら製造・販売する事業会社と組んで技術開発することは避けるべきだ。

なぜなら、共同開発した技術の知財は提携先と共同保有することになるが、相手が製品を自ら製造・販売する事業会社だと、技術が完成した後で他社に委託して低コストで製品を製造・販売しようとしても、知財権を盾に拒まれてしまうなど、後に知財戦略上の問題が生じやすいからだ。

最近では、フランスの自動車大手ルノーが資本提携先の日産自動車と共同開発した技術を巡り、新たにルノーが立ち上げる電気自動車（ＥＶ）の新会社と、中国メーカーも出資する予定の内燃機関自動車の新会社で使用する構想を示したところ日産が難色を示し、両社の資本提携見直し協議が何カ月も遅れたことが記憶に新しい。日産は当然、自社でＥＶを作ったり中国メーカーと競争したりするため、ルノーと共有する技術をルノーに都合良く自由に使わせないため、知財を盾にストップをかけたのだった。

技術提携先が研究開発を中心とするスタートアップ企業であれば、日産のような事業会社とは違って、モノ売りの事業をしていないケースも多い。だからスタートアップとの提携で技術開発すれば、完成した技術を用いた製品の製造や販売を、他の事業会社と提携して行うことも許してもらえる可能性が高い。このように提携戦略は、スタートアップと事業会社に分けて進めることが重要になる。技術分野によっては、大型の試験機器などを持つ大手の事業会社でないと技術開発ができないこともある。その場合は技術開発の契約によって、他の事業会社との事業化ができる権利を確保するよう、提携先と交渉すべきである。

最終的な提携先を決める

提携の実行フェーズである「ステップ３」では、提携先の技術的な能力だけでなく、各提携先との条件交渉で決まる「基本合意書（MoU = Memorandum of Understanding）」も考慮して、最終的な提携先を決める。ＭｏＵは上記で策定した戦略を実行するために必要な重要事項を盛り込んで作成し、これを提携候補先に示す。その後、各提携候補先においてそれぞれ修正などを行い、最終的に各提携候補先との間で提携の条件を決めることになる。

ＭｏＵで合意した重要事項以外の条件を含んだ提携先との業務委託契約などは、共同開発などの事業提携を開始してから、交渉を通して合意締結の手続きを進める。提携の開始を早めるため、まずはＭｏＵのやり取りの中で重要事項の合意を取るようにし、相手側が提携しても良いと判断できるように心がける。ＭｏＵは、アライアンスの目的（製造委託や共同開発）・条件を確認し、役割分担や連携によるメリットを考慮して許容できるボトムラインを事前に想定し、コラボレーション条件を記載して作成する。

「ステップ２」で作成した各戦略を基に、提携によって開発する技術・事業の内容を確認するために、提案書の作成を各提携候補先に依頼する。まず自社の事業のビジョンや成果のイメージなどを相手方に伝えるため、「提案依頼書（RFP = Request for Proposal）」を作成する。このRFPを提携候補先に示し、各提携候補先に開発する技術・事業について提案書を作成してもらう。受け取った提案書を見比べて、各提携候補先の技術や事業について能力・力量を評価する。各候補先の能力を提案書やウェブサイト視察などで見極め、提携条件はMoUで判断して、最終的に提携企業を選定する。

この段階で留意すべき点は、情報のコンタミネーション（混入）である。契約までに類似の技術を保有する複数のスタートアップ企業にコンタクトする可能性も高いため、結果的にアライアンスを結ばなかった企業から得た情報は守秘義務の対象となり、誤って外部に漏らしてしまえば訴えられかねない。結果的にアライアンスを結ばなかった候補先から得た情報を放置しておくと、その後の事業の障害ともなりかねない可能性が高い。

したがって、提携先を選定する段階での候補との接触は、結果的に情報混入とならぬように十分に留意する必要がある。例えば、外部の戦略コンサルティング会社を提携先選定の段階でうまく活用することなどが考えられる。選定段階でスタートアップなどから得る情報は外部の戦略コンサルティング会社まで止めておき、自社は直接、情報を取得しないようにする。提携先の選定中はコンサル会社と必要最小限の情報共有を行い、提携先の選定後にその提携先となった企業の詳しい情報をコンサル会社から自社に送付してもらえばよい。

経営戦略策定を進める上での留意点

ボトムアップかトップダウンか

経営に知財機能を盛り込む（ＩＰランドスケープ活動を有効に機能させる）には、知財部門が独自に挑戦したり、他部門を巻き込んで社内で動き回ったりするというボトムアップ的な活動も考えられるが、結局のところ、経営側からトップダウンで落とさないとうまくいかないことが分かってきた。だから知財部門や経営企画部門が社内でＩＰランドスケープ活動をする場合、まずは経営層に「知財機能が経営に与える影響」を理解してもらうよう働きかけるところから始めることが重要になる。

著者（林）は最近、知財部門の方から、「知財分析で経営に貢献しようとＩＰランドスケープを実施しているが、うまくいっていないので、どうにかならないでしょうか」というご相談をよく受ける。これはＩＰランドスケープを試みている知財部門が自社の経営層との距離が遠いためにＩＰランドスケープの趣旨や意義を伝えることができておらず、したがって経営側は知財が経営に与える影響をまだ自覚していない会社に多くみられるパターンである。

うまく行かない会社のケースで共通しているのは、まずは知財部門で分析してみて、華々しく社内発表会などでアピールし、注目してもらおうというボトムアップの姿勢だ。注目を集めた上で経営企画部門や事業部門、技術企画部門などの戦略企画側にＩＰランドスケープの意義を認めてもらい、事業部門長や経営層などに話す機会をつかみ、徐々に活動を広げていきたいという深謀遠慮がある場合が多い。まずは良いところを見せたいので、ＩＰランドスケープを実施する前に他部門のキーパーソンや戦略策定責任者に対して十分にヒアリングができていない。

戦略は唯一の正解はないので、戦略企画のキーパーソンが頭の中にもっている、「こういう潜在的顧客にこういうソリューションならいけるかもしれない」という仮説があって、ＩＰランドスケープは、それを検証するものでないと、その戦略責任者からすると「その戦略を作るための分析（ＩＰランドスケープ）は正しくない」となってしまう。考え方によっては、顕在化していない新たなニーズを掘り起こした分析なのだからなお良いという評価はあり得るのかもしれないが、そもそも（戦略企画担当者が構想している）戦略の実行につながる仮説が検証されていない分析に過ぎない。

やはり知財部門だけのボトムアップでの活動では、経営に意味のある分析にはなりにくいと言わざるを得ない。経営層に知財機能の意義を理解してもらわないままでは、インタビューなど別の検証手段を部門の機能として向上させない限り、知財部門だけでＩＰランドスケープの活動を始め、経営戦略につなげるのは難しいと考える。

他方、何らかの理由で、すでに経営層が知財を経営に取り込む重要性を理解しているなどトップダウンの環境が整っている企業の場合はまったく違う。経営者のセンスが良い場合もまれにあるが、多くの場合は知財部門や経営企画部門が独自に経営層にＩＰランドスケープの意義を伝えていたり、経営層が事業部門長だった時期に知財を活用した経験があり、問題意識をもったりしたケースだろう。そういった会社の知財部門は、ＩＰランドスケープで他部門に具体的な提案を行ったり、他部門に分析結果や解釈を伝えたりするだけで、すぐに経営戦略に直結する動きにつながることが多い。

手前味噌になるが、経営コンサルタントとして顧客企業から知財機能を生かした事業開発、プラットフォーム戦略策定のご支援のご相談を受ける場合は、たいていその経営層の方からお話を聞いて着手するので、こういう難しさを感じることはあまりない。有識者のインタビューなど別の検証手段も取り込むことができるし、顧客企業の各部門の戦略企画のキーパーソンの仮説などを伺うこともできるので、スムーズに知財活用を提案できる。

あなたの会社でＩＰランドスケープを経営に生かそうとするなら、ボトムアップだけではうまくいく可能性は低い。まずは経営層に、知財機能が経営に与える影響を理解してもらうところから始めることが重要になる。とはいえ、経営層にうまくアピールするのは簡単なことではない。知財部門の進め方としてお勧めできるのは、例えば経営に知財機能を融合させた実務経験のある経営コンサルタントと連携し、自社の「攻めのオープンな知財戦略」やプラットフォーム戦略を作り込むことだ。次に、事業責任のある経営企画部門などと連携して経営会議でプレゼンテーションしたり、経営層に投資判断を仰いだりする機会を作り、知財機能がいかに経営戦略に融合できるかを示していくことが望ましいと考えられる。

新規事業開発に取り組む「出島」の「2つの必要性」

昨今、オープンイノベーションなどを活用した新規事業開発の投資を、既存事業の投資判断とは切り離すため、いわゆる「出島」と呼ばれる仕組みを社内に設ける企業が多い。各部門から抽出した人材や提携先企業の外部人材などを集め、新規事業開発のために設ける組織だ。「新規事業開発室」や「イノベーション開発室」などと名付けられることも多い。この「出島」でプラットフォーム戦略などに基づく新規事業に取り組むわけだ。

製品を差別化して収益を獲得する事業と、顧客を獲得する事業とが一致していたモノ売り事業とは異なり、プラットフォーム戦略では持続的に収益を獲得する事業と、利益は得られなくても多くの顧客を獲得する事業を同時並行で進める。２つの事業（二面市場戦略）により、自社だけでは実現できない顧客にとって魅力的なサービスを提供し、競合他社の事業破壊を招いて、競争戦略で圧倒的に勝つことができる。経営会議などでの投資判断では、このような新たなビジネスモデルを説明することで理解を得ることができるはずだ。

ただ、「出島」を設けて新規事業開発を実際に行ってみると、事業開発の初期段階に必要とされる経営会議などでの投資判断はクリアしたとしても、いざ事業化が始まると、販売網やメンテナンス、代理店といった既存事業のリソース（資源）をそのまま用いると、新ビジネスでは適切な判断が取れないというジレンマが生じることが多い。

例えば、既存のモノ売り事業で、競合他社との差別化の観点から長年カイゼンが繰り返されて生まれた品質基準やビジネスをやり取りする基準といった「カルチャー」が企業には存在する。しかし新たなビジネスを展開する場合、異なる品質基準やビジネスのやり方を採用しないと、その新事業では競合に対する優位性や顧客ニーズをとらえることができない。そこで新事業を進める「出島」が新たな基準やカルチャーを作った場合、既存事業の営業部門などが従来の基準やカルチャーを理由に、新事業に反対する余地が生まれるのだ。

通常、「イノベーションのジレンマ」と呼ばれる現象は、新たなビジネスを展開する初期段階に突破すべき「第1のハードル」である経営会議において、カニバリズム（新規事業を行うことによって既存事業の利益が失われてしまうこと）が起きかねないことを根拠に、新事業への投資に反対されてしまうことをいうことが多い。しかし、実は投資判断のハードルをクリアした後も、社内の営業部門や法務部門が「第2のハードル」となって立ち塞がり、新事業に対する反発・反対が生じて、新たなビジネスの展開が阻止されることがよくある。

実際、著者（林）がある自動車部品メーカーで第2のハードルによるジレンマを解消するために、いわゆる「出島」の役割を拡大して、第1のハードルである事業開発初期段階だけでなく、第2のハードルである品質管理やメンテナンスに関する基準などについて「出島」が判断できる役割を持たせた経験がある。第1のハードルを突破して新規事業を開発した「出島」でなければ、その後の事業における品質管理やメンテもうまく判断できないという判断のもと、このような組織の役割を持たせている。そのメーカーの「出島」では、新たな事業において新たなカルチャーを作り出すために、提携先とパートナーシップを組んで進めようとしている。

このような場合、新製品の技術開発（設計）は、自社（本社）で行うとしても、第2のハードルである社内の営業部門や法務部門の反対を乗り越えるためには、その新製品の製造やメンテナンスについては「出島」が引き受け、実際には製造コスト低減や販売チャネルの確保などが期待できる事業提携会社に委託しながら、新たな事業の展開で欠かせない提携企業側のカルチャーを十分に取り込めるフォーメーションを取るのが良いように思う。

したがって、いわゆる「出島」は、第1のハードルである新規事業戦略に対する経営による投資判断の段階だけでなく、その後の、第2のハードルである事業化を進める段階で現れる、品質管理やメンテナンスや提携契約を巡る考え方など、既存のビジネスとのやり方の違いを乗り越える段階でも必要な存在だといえる。「攻めのオープンな知財戦略」を組み込んだ新規事業戦略においては、このような社内の二重のハードルを乗り越えるために、「出島」をうまく活用することを知っておいてほしい。

第3章

「攻めのオープンな知財戦略」のケーススタディ

BEST MANAGEMENT LEVERAGING INTELLECTUAL PROPERTY

「イノベーションのジレンマ」を克服する

ここまでの記述で、昨今のグローバル経営において知財・無形資産を生かして競争を勝ち抜く戦略として、いかに「攻めのオープンな知財戦略」が重要になっているかが、ご理解いただけたと思う。そこで実際に「攻めのオープンな知財戦略」を実践し、持続的な成長を実現している国内外の企業の事例を、少し詳しく紹介していくことにする。

ここで紹介する「攻めのオープンな知財戦略」の事例は、経営戦略的にみればすでに詳しく説明した「二面市場戦略」を基本としつつ、同じく「プラットフォーム戦略」「ソリューションビジネス」「両利きの経営」、さらには「エコシステム戦略」「キーストーン戦略」をも実践している事例である。

「攻めのオープンな知財戦略」を策定する手順は前章で示してきた通りであるが、「両利きの経営」を実現していく上では、ソリューションビジネスとして、2つ以上の事業をつなげる必要がある（二面市場戦略）。一方は差別化を前提とする持続的収益獲得事業とし、他方は顧客を獲得するために非常に魅力的なサービスを提供する顧客獲得事業とすることで、1社では実現できない価値を顧客に提供できるソリューションビジネスを実現することができる。

モノ売りではこれら2つの事業の役割が一致していたが、既述したようにグローバルでの勝ち筋であるプラットフォーム戦略に転換していくには、自社の利益追求の収益獲得事業とは別に、社会課題起点で必ずしも自社利益を訴求しない顧客獲得事業が必要となる。今までは自社の利益を生む目的でのみ技術開発や事業開発に投資してきた企業にとって、今までにない経営判断、つまり自社の利益を度外視しての顧客獲得事業への投資の判断ができる経営基盤が必要となる。モノ売り事業が中心の場合、利益を出さない分野に投資することはナンセンスだったため、プラットフォーム戦略を展開する上で、今までにない経営判断を行うことが必要となり、いわゆる「イノベーションのジレンマ」が発生してしまう。このため実務では、どのようにイノベーションのジレンマを解消するのかが重要になる。

そこで、この具体事例の紹介では「攻めのオープンな知財戦略」を実践する際にハードルとなるイノベーションのジレンマに着目する。その解消方法として、金融危機後の苦境の中で経営判断によりイノベーションのジレンマを解消した事例、特定の経営者の主導によりイノベーションのジレンマを解消した事例、そして組織によってイノベーションのジレンマを解消した事例を順に取り上げて紹介する。

独バスラー社

売上前年比54%増を達成

金融危機での経営判断の結果としてイノベーションのジレンマを解消した事例（「攻めのオープンな知財戦略」により特定のビジネスで事業破壊を起こし、シェアを獲得できている事例）として、独バスラー（Basler）社（産業用デジタルカメラの世界大手）を紹介したい。

独バスラー社は、コンピューター向けの高品質なカメラ（画像表示装置）を製造する世界的なリーディングカンパニーである。創業者のノルベルト・バスラー氏は「一事業に特化してしまうのは経営を弱くする」という考えから、経営の多事業化を図った。しかし2008年のリーマン・ショックに端を発した金融危機で打撃を受け、高品質なカメラ事業に集中することにして、カメラ事業以外のシステム事業からは徐々に撤退している。自社のバリューチェーン全体を見て、儲けられる事業に特化したということになる。

結果的に、バスラー社の経営戦略はバリューチェーン上の複数の事業でどこが収益を上げや

図表16　成功事例：独バスラー社

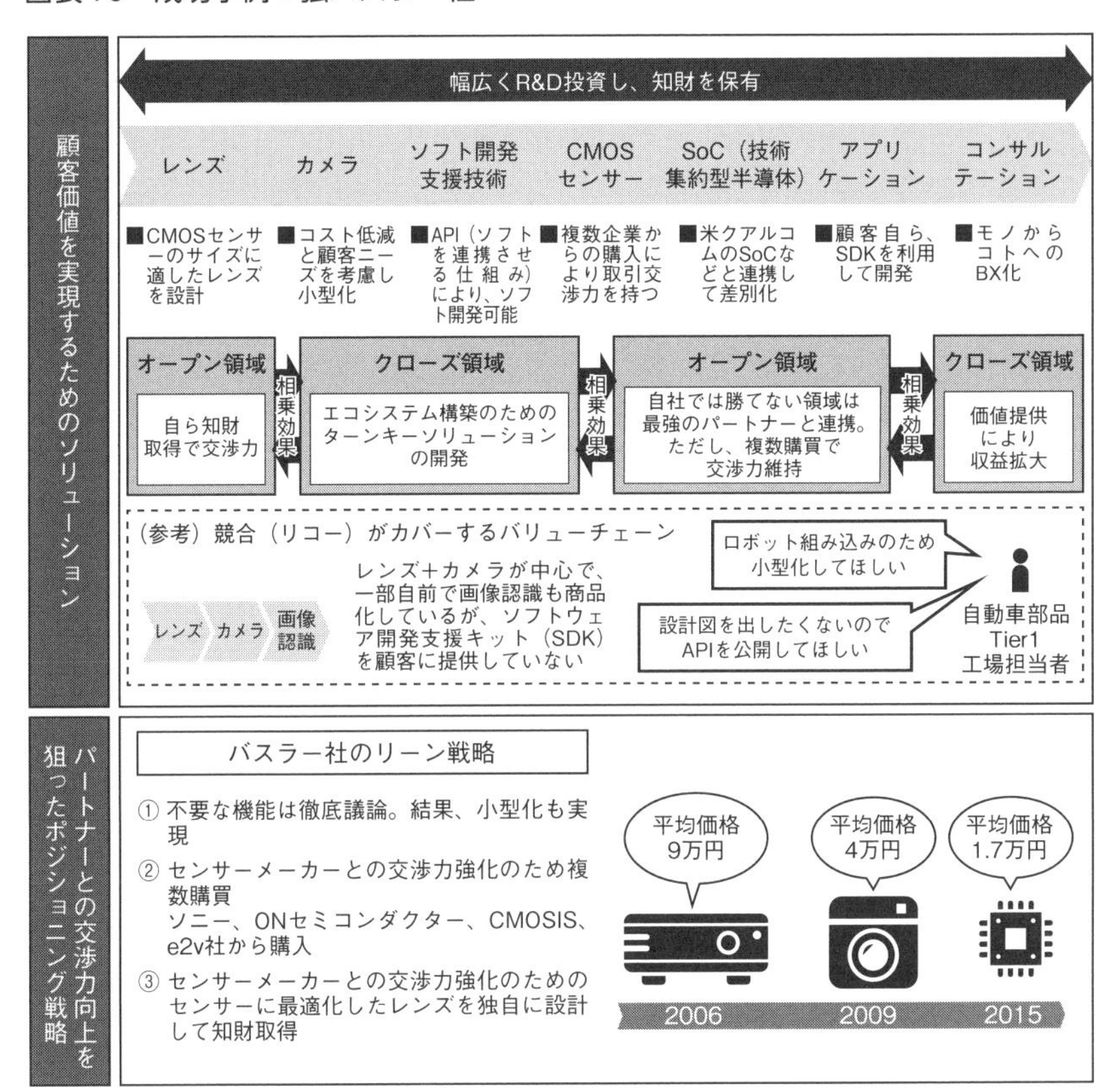

（出所）バスラー社ウェブサイトなどにもとづいて作成

すいか、どこが顧客にとっての魅力を提供する上で必要な事業なのかを見極めながら、事業の効率化を図った上での「二面市場戦略」、すなわち「プラットフォーム戦略」を実現している。同社はカメラの製造そのものを自ら行わないが、潮流を読んでの製品設計にフォーカスして技術と知財を蓄積している。これら知財を他社に製造委託する場合の提携の動機として活用して、カメラ事業のバリューチェーン上でエコシステムを構成するパートナー企業への交渉力を獲得している。

バスラー社はカメラを設計する際に、バリューチェーン全体で不要な機能が存在しないかを徹底して議論することで、大幅なコスト削減を実現してきた。CMOS画像センサー技術の世界的なリーダー企業の米フォトビット社（Photobit Corporation、カリフォルニア州）と戦略的提携契約を締結している。また2018年に産業用カメラ向け画像入力ボードと画像処理開発環境ソフトウエアを提供する米シリコンソフトウエア社（Silicon Software）を買収することで、製品を拡充しコンサルティングサービスを強化している。

カメラ事業で収益を上げる上で、バリューチェーン上で付加価値の高い事業領域として、このCMOS画像センサーとコンサルティングサービスに重点を置いているように見える。世界には数多くのCMOS画像センサーのメーカーが存在するが、バスラー社は様々なメーカーのCMOS画像センサーを用いて、高品質なカメラを次々と発売している。

これは付加価値の高いCMOS画像センサーに着目し、CMOS画像センサーメーカーの1社に付加価値が集中しないように、バスラー社はCMOS画像センサーの性能に影響を与えるソフトウエアを開発し知財を取得した上で、あえて複数のセンサーメーカーとアライアンスを組んでいる。取引先間の競争を促し、自社の立場を強める戦略的な対応とみることができる。カメラの平均価格が下落しているにもかかわらず、バスラー社は2017年度には年間収益を15％以上増加させ売上高は前年比54％増を達成した。

バスラー社の二面市場戦略

カメラ事業において通常の「スマイルカーブ」（ITビジネスのバリューチェーンを、企画・開発などの川上、組み立ての中間、販売や保守などの川下に3分割し、収益ポイントを曲線で表現すると、両端は利益率が高く、中間は利益率が低いため、笑顔の表情に似ることに例える言葉）において、最も付加価値を生み出しているのは、企画・開発など川上に位置するCMOS画像センサーにあると考えられる。

しかし、バスラー社は利益率の高いCMOS画像センサーに自ら投資して競争に挑むのではなく、あえて様々なメーカーのセンサーと自社開発のソフトウエアで高性能を実現したカメラを次々にリリースしている。川上で付加価値を生むCMOSセンサーそのものの製造や技術には踏み込まず、各メーカーのCMOS画像センサーの性能を引き上げるソフトウエアの技術と知財によって、全メーカーに影響力を行使できるようにしている。これも産業用カメラの設計において、徹底的に顧客の無駄を省くというビジョンが存在するからである。

現在では、ソニー、オン・セミコンダクター社、アプティナ社（オン・セミコンダクターが買収）、ＣＭＯＳＩＳ社、ｅ２ｖ社といったメーカーのセンサーを用いて数多くの産業用カメラの製品ラインナップを揃えている。バスラー社は顧客の求めるニーズを満たすカメラの機能を、各メーカーのＣＭＯＳ画像センサーと、その性能を実現することができる自社開発したソフトウエアを組み合わせて、高性能カメラを生み出す。シェアを獲得したいと考える２番手以降のセンサーメーカーは、バスラー社のソフトウエア技術を受け入れざるを得ないため、ＣＭＯＳ画像センサーの一強体制を防ぐことができる。

バスラー社の戦略は、産業用の高性能カメラの市場で自社の立場を「攻めのオープンな知財戦略」で実現している。センサーそのものではなく、その性能を引き上げるソフトウエアの技術をオープンにセンサーメーカーに提供する。シェアを獲得したい２番手以降のメーカーに自社の知財を受け入れさせ、メーカー間の競争を促進させ、１強体制を未然に防ぐことができる。その根底には、徹底的に顧客の無駄を省くための製品設計を追求するという利他的な精神がある。その結果、ＣＭＯＳ画像センサーという付加価値の高い事業への利益の集中を緩和させ、その分の利益を自社の利益として手繰り寄せていると言っても過言ではない。

カメラ事業周りのバリューチェーン全体を見て、どこに付加価値の高い事業領域があるのかを見極め、バリューチェーン上での影響力のある事業に対して自ら技術開発及び知財を取得することで、企業に対して複数のアライアンス（提携）を仕掛け、利益の分散を実現する典型例だといえる。バスラー社の事例は、グローバルな金融危機に対応せざるを得ない状況で、収益を上げる事業とエコシステムを構築するために知財をオープンにする事業の二面市場戦略を採用し、プラットフォーム戦略を実現した事例といえる。

ダイキン工業

中国政府に働きかけ「ルール」を作る

２００８年3月、ダイキン工業は中国・珠海格力電器（広東省珠海市）と業務提携した。その狙いは、中国で環境性能の高いインバーター搭載エアコンを普及させることだった。ダイキンの井上礼之会長兼最高経営責任者（ＣＥＯ、当時）は「（知財の）オープン化戦略で格力電器と組んだ」と言い切る。具体的には、長年の同社の研究開発によって築き上げたインバーター技術・知財の一部を、格力電器に供与した。

１９９０年代後半、アジアなど新興企業の台頭によって日本市場での家庭用エアコン事業の

図表17　成功事例：ダイキン

ダイキン　省エネ性能に優れたインバーター搭載の高価格帯エアコンで世界首位*1の日本企業

格力電器　インバーターを搭載しない低価格帯エアコンで世界首位*2の中国企業

攻めのオープンな知財戦略の必要性

■ ダイキンは、中国政府の省エネ化実現、格力電器が抱える課題の解決、自社の低価格帯エアコンの売り上げ拡大を目指すwin-win-winな戦略を選択
- 中国政府が推進したい省エネ政策をサポートするために、省エネ性能に優れたインバーターを提供（利他主義な知財戦略）
- ダイキンの省エネ性能に優れたインバーターを格力に提供し、格力からは低価格な生産技術・ノウハウを得ることで低価格なエアコンの生産を実現し、格力の販売チャネルを活かして市場拡大

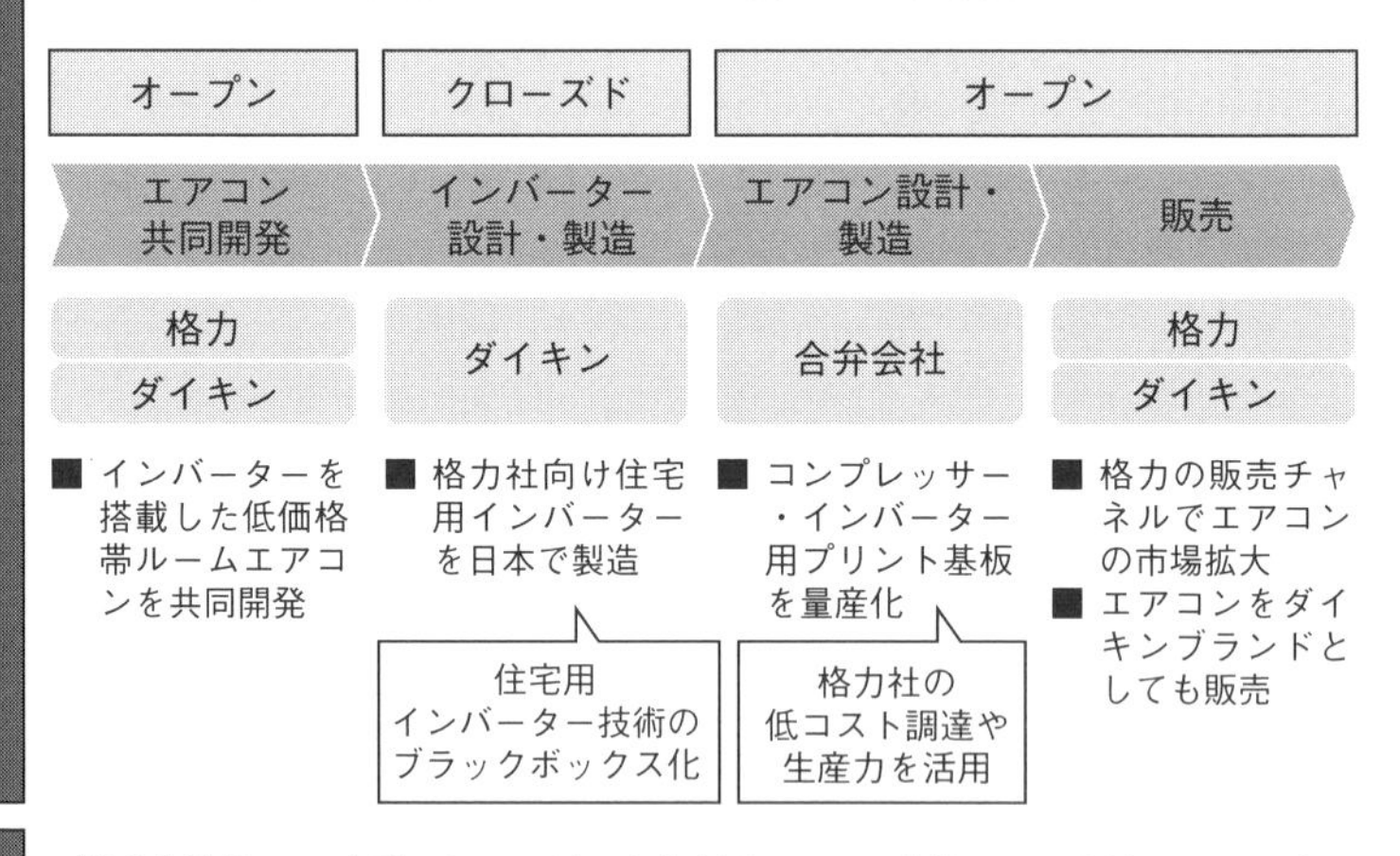

戦略の効果
- 戦略実施前は1%未満のシェアだった家庭用エアコン市場で10%以上のシェアを獲得し営業利益も黒字化
- 戦略実施前はインバーター型では市場の1割にも満たなかったが、直近では市場の7割以上をインバーター型エアコンが占めるまで普及

（注）*1　2008年時点　*2　2012年時点
（出所）ダイキンのウェブサイトなどにもとづいて作成

収益率は数パーセント程度と、非常に競争が激しい「レッドオーシャン」といえる市場だった。一方、中国などの新興国では家庭用エアコンはまだまだ普及率が低く、伸びが期待できる状況だった。そこで井上会長は「中国市場の開拓は1社では難しい。中国のトップメーカーである格力の力を引き出し、共に市場をつくることが、空調業界にとってもダイキンの事業拡大にとっても最適だ」と考えた。

当時、中国など新興国では家庭用エアコンは低価格の非インバーター機が主流だったが、世界各国でも環境規制が強化されつつあり、省エネ性能が求められる時代になっていた。すでに日本では家庭用エアコンのインバーター比率は１００％に達していたが、中国は２００８年時点ではわずか６％程度であり、それが現在は70％以上にまで高まっている。

まずダイキンは、中国政府に対して国際的に規制の強まっている環境問題への対策として、インバーターエアコンが有効であるとのロビー活動を行い、中国政府内で日本企業の中国市場への進出に共感を得るように試みた。一方、競合メーカーである中国の格力側も、インバーター技術を自社のエアコンに搭載することで、環境に優しいとアピールできるエアコンを自国市場に導入したいと考えていた。

ダイキンの場合、環境問題への対応という社会課題を起点とする事業展開を社内外で示すことにより、結局、中国政府の支援と競合メーカーである格力との提携を実現した。環境に優しい自社のインバーター付きの省エネエアコン技術を足掛かりに、環境対策を迫られる中国の政府や現地競合企業を巻き込むため、ある意味「大義」を提唱して、自社の省エネ技術を外国市場で展開可能とするルール作りまで仕掛けたのだった。

ダイキンはインバーター技術・知財をオープン化して格力に提供する代わりに、格力の世界ナンバーワンのシェアを実現している販売チャネルと、製造コストを徹底的に低減する能力を獲得することができた。この「攻めのオープンな知財戦略」により、ダイキンは家庭用エアコン事業において、1社（あるいは系列内）では実現できないような、圧倒的な製造と販売の効率化を図ることができた。まさに「攻めのオープンな知財戦略」の典型である。

また格力が製造した家庭用エアコンは、ブランドを「格力」と「ダイキン」とで分けて販売チャネルに流通させた。中国でもダイキンのブランド力は高く、ダイキンのエアコンは高く売ることができるからだ。ダイキンは製造の観点で事業効率化を図りつつ、ブランド力によって高価格を実現する戦略も巧みに取り入れた。独フォルクスワーゲングループが、傘下の「フォルクスワーゲン」と「アウディ」とで部品の共通化を図りつつも、両ブランドでは異なる価格を設定している戦略とよく似ている。

ダイキンは、国内の環境対策を進めたい中国政府の思惑に応えると共に、格力が抱えていた技術的な課題をも解決する道を選択した。中国政府が進めたいと考える省エネ政策をサポートするために、利他主義的な観点から知財のオープン化を実行した。自社のインバーター技術を格力に提供し、格力からは低価格な生産技術・ノウハウを得ることで低価格なインバーター型エアコンを共に販売することに成功したのだ。

社内の反対勢力を説き伏せる

とはいえ、ダイキン社内には当初、知財を中国側に提供するというオープン戦略に反対の声が上がった。自社の競争力の源泉ともいえる技術・知財なのだから、当然である。しかし井上会長は、「中国は経済成長が続く有望市場であり、インバーターエアコンの市場形成を優先すべきだ」と決断した。

もしダイキンがインバーターの知財をオープンにしなかった場合、インバーター以外の環境技術が現地で開発され、先に大勢を占めてしまえば、もうインバーターは主流ではなくなってしまう。先端技術を競合である格力電器に提供しても、市場さえ形成できれば闘うことができると考えた。

「攻めのオープンな知財戦略」をとることは、事業におけるパートナー、特に本ケースでは直接の競合である中国の格力の事業を支えるもので、自社の事業の収益に直結するものではないため、必ず社内の既存の事業部門など反対勢力の反発が発生する。上述したグローバルでの勝ち筋であるプラットフォーム戦略では、自社の利益追求の収益獲得事業とは別に、社会課題起点で必ずしも自社利益を訴求しない顧客獲得事業を設定するからだ。

自社が収益を上げている事業に対して、仮に競合他社が利益を度外視した顧客獲得事業と設定して利益を度外視した事業破壊を仕掛けてくると、自社の収益事業が壊滅することになりかねない。したがって、自らプラットフォーム戦略を仕掛けて競合の事業破壊を仕掛けていくか、そうしなければ、他社によってプラットフォーム戦略を仕掛けられ、自社の収益事業が破壊されてしまうか、という強い危機意識をもたざるを得ない。

経営陣の中には、既存事業を守るため、最新技術を気前よく提供すれば、人件費の安い新興国メーカーに格安品を販売され、恩をあだで返されるに違いないと反対する者がいることは当然だろう。しかしダイキンの井上会長は、「どんなに新しい技術もいずれは必ずライバルによって追いつかれる。『攻めのオープンな知財戦略』を用いてパートナーと共に新たな市場を拡大しつつ、当社はライバルに負けないよう、さらに新しい技術を生み出し続ければよい」と言い続けた。

そして井上会長は「インバーターというダイキンの技術が普及すれば、（中国など様々な新興国の市場で）デファクトスタンダード（事実上の業界標準）を構築でき、将来的にビジネスが有利になる」と社内の反対勢力を説き伏せ、「攻めのオープンな知財戦略」を実行した。「Disrupt or Die（自社が事業破壊を仕掛けなければ、他社が事業破壊を仕掛けてきて、自社の経営が破綻しかねない）」という危機感から、戦略を実行すると決意したのだった。その結果、ダイキンは中国でデファクトスタンダードを握ることに成功したのだった。

利他主義的な知財戦略が必要に

自社の生き残り策が、社会課題起点やESG投資という「大義の力」や、エコシステム戦略を実現するために必要な「ルール形成力」を備えるためには、提携相手の事業を支援するため知財をオープンにする利他主義的な知財戦略が必要となる。また現代は、気候変動を含む社会課題への貢献が企業の資金調達力を左右するサステナビリティ時代だ。

このような背景を考えると、社会と企業の双方にとって、自社の利益や独占のための知財だけでなく、社会課題に寄与する知財の開発も重要になったと言える。上述したグローバルでの勝ち筋であるプラットフォーム戦略に転換していく場合には、自社の利益追求の収益獲得事業とは別に、社会課題起点で必ずしも自社利益を訴求しない顧客獲得事業が必要となり、顧客獲得事業を実現するには、企業は自社の利益を訴求しない利他主義的な知財戦略が必要となるということである。

1つめの独バスラー社の事例は、グローバルな経営危機に対応せざるを得ない状況で収益を上げる事業と、エコシステムを構築するために知財をオープンにする事業の「二面市場戦略」を採用することでプラットフォーム戦略を実現した事例だった。2つめのダイキンのケースは、現状は危機に直面しているわけではないが、将来的な危機を直感している経営者が意識的に会社を主導することによって、イノベーションのジレンマを解消した事例といえる。

米インテル

直接収益の上がらない事業の技術開発に投資

第1部でも触れたが、1990年代にパソコンの頭脳にあたるMPUで圧倒的なシェアを獲得したのが米インテルだ。インテルのチップは、パソコンの制御基板であるマザーボード上に搭載される。インテルはマザーボードの規格を独自に策定しており（例：1995年に策定されたATX規格）、そのレイアウトの仕様やチップをマザーボードに搭載するための結合部の情報（ピン配置など）を、台湾のパソコンメーカーに対してオープンにした。

このインテルの「攻めのオープンな知財戦略」が奏功し、インテルの知財を提供された台湾のパソコンメーカー各社がマザーボードの製造に参入し、その競争を促進させた。その結果、マザーボードの価格の下落と品質の向上が同時並行で一気に進んだ。当然、パソコンメーカーは高品質で低価格の台湾製マザーボードをこぞって採用するようになり、そのマザーボードの性能向上に最も適したインテル製MPUチップのシェアが急速に拡大した。

図表18　成功事例：インテル

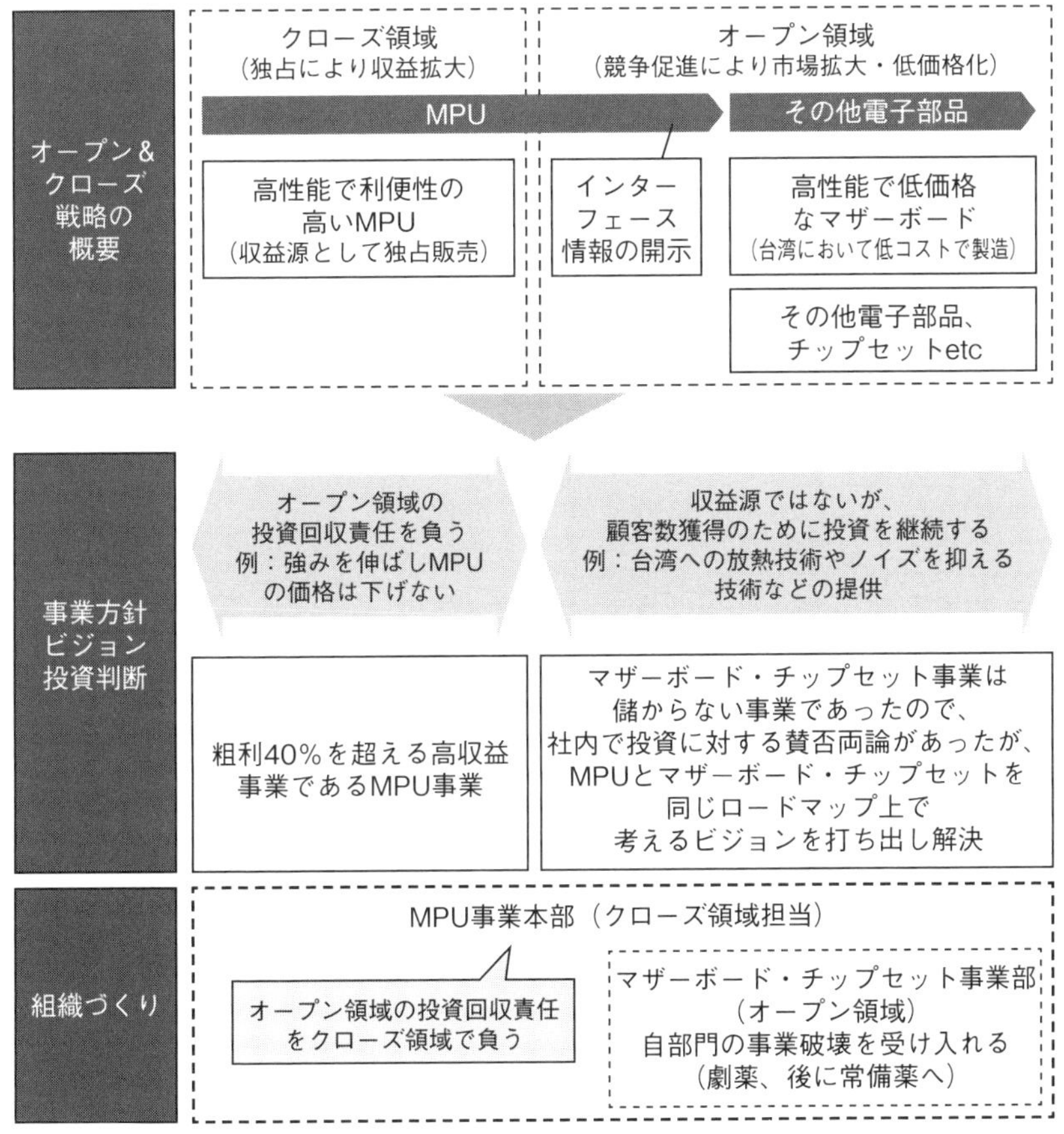

（出所）小川紘一『オープン&クローズ戦略』（翔泳社、2015年）、立本博文『プラットフォーム企業のグローバル戦略』（有斐閣、2017年）、インテルウェブサイトなどにもとづいて作成

まさにインテルは「攻めのオープンな知財戦略」によって、マザーボード事業（パソコン事業）とMPUチップ事業という「二面市場」を構築するプラットフォーム戦略を実現したのである。提携先である台湾のパソコンメーカーに知財を提供し、インテルは意図してマザーボード事業（パソコン事業）を収益の上がらないコモディティ市場とし、そのパソコンに搭載される最も付加価値の高い部品であるMPUの市場において、自社のチップの圧倒的なシェアを実現し、高い収益率を確保することに成功したのだ。

この場合、普通の経営者であれば「もはやマザーボードというパソコンの部品で収益を上げることは難しいのだから、もうマザーボード事業からは撤退し、マザーボードに対する技術・知財開発の投資もやめてしまうべきだ」という判断をしがちだと想像する。ところがインテルの経営陣の場合は、あえて直接収益を上げられないマザーボード事業での技術・知財開発への投資を続けるという判断をした。その結果、「攻めのオープンな知財戦略」を実現できているということが、知財戦略の観点から重要なポイントである。

コア事業部門にオープン領域の責任を持たせる

インテルは1992年頃、新しい役割をマザーボード（上の回路であるチップセット）事業に与え、マザーボード事業を本格的に行うようになっていった。当時、粗利40％を超える高収益事業だったMPU事業と比べると、マザーボード事業はインテルにとって儲からない事業だったので、そこに引き続き投資をすることには、社内で賛否両論があった。

しかし、インテルが同社の柱であるＭＰＵ「ペンティアム」事業を進める際に選択した方法は、儲からないマザーボード事業を本格的に手掛けるというものだった。このときインテルは、ＭＰＵとマザーボード（上の回路であるチップセット）の開発を「同じロードマップ上」で考えるという方針・ビジョンを打ち出した。インテルは「収益獲得事業」であるＭＰＵだけでなく、その周辺事業であるマザーボード事業を「顧客獲得事業」ととらえた。

収益性は高くないマザーボード（上の回路であるチップセット）の技術開発にも投資を続け、その技術開発の成果を、ＭＰＵの周辺部品のエコシステムに対して標準化・オープン化することにより、マザーボード上の回路設計を、ＭＰＵとは独立した構造にすることができた。結果としてパソコンの回路システムをＭＰＵとは独立したシステムに仕立てることに成功し、パソコンの回路システム全体の再設計をすることなく、インテルの最新ＭＰＵを市場に導入できる構造を作り上げたのである。つまりＭＰＵとマザーボード（上の回路であるチップセット）の開発を連携させ、パソコンのプラットフォームを構築することで自社のＭＰＵに高い付加価値が集まる仕組みを実現できたのだ。

このように「攻めのオープンな知財戦略」を実行してソリューション事業を展開させていくためには、直接収益を上げられるわけではない事業においても、投資を続けるという決断が必要になる。もっといえば、その事業でのビジネスパートナーの支援となるような事業領域、つまり将来は提携先に無償で提供してしまう（オープンにする）可能性の高い技術・知財の開発に対しても、利他主義的で持続的な投資が必要になるのである。

前に述べたように、新規事業立ち上げの場合はいわゆる「出島」と呼ばれる新組織に投資して事業立ち上げをさせることが多い。しかし「二面市場戦略」をとり、オープンな領域に対しても持続的な技術・知財投資を継続していくには、社内でどの部門が投資・回収責任をもつのかを明確にする必要がある。それを「出島」に任せるのは適切でない。はっきりいえば、収益を上げているコアの事業部門に、収益を上げないオープンな領域、パートナー支援のための技術・知財開発投資についても、責任をもたせるべきなのだ。

なぜなら、コアの事業で収益を挙げることができているのも、オープン領域が存在しており、そこでパートナー支援のための技術開発・知財への投資が続けているからこそであるということを、コアの事業の担当役員や担当者らも共有していなければ、二面市場戦略をとり続けることはできないからだ。このように「攻めのオープンな知財戦略」には、全社的なビジョンの共有と組織改革が伴うことも、経営者や戦略担当者は忘れてはならない。

前例のダイキンの事例は意識的に特定の経営者が主導して、イノベーションのジレンマを解消した事例だったが、インテルの事例は全社的なビジョン設定や組織改革によって、より確実にイノベーションのジレンマを解消した事例といえる。イノベーションが得意と想像しがちのインテルであっても、社内でのイノベーション投資に対する反対は存在しており、全社的なビジョン設定及び組織の投資責任を明確にすることで、イノベーションのジレンマを解消した点が興味深い。

「両利きの経営」が必要に

プラットフォーム戦略は、差別化により持続的に収益性を獲得するための持続的収益性事業と、必ずしも収益性が高くなくとも顧客に魅力的なサービスを提供して顧客数を獲得する顧客価値提供事業とで構成することによって、ソリューションビジネスが実現される。したがって、プラットフォーム戦略は、利益最大化と社会課題解決の両者のバランスを取る必要があるという点で、いわば「両利きの経営」が必要とされるといってもよい。

事業に対する投資判断というと、モノ売り事業中心であった場合は、差別化のための投資と顧客を獲得するための事業が一致していた。しかし、最近のグローバルでの事業の組み立て方の多くはプラットフォーム戦略を前提としている。顧客価値提供事業の経営投資判断は顧客獲得ができれば必ずしも高い利益を得る必要がないという点で今までの投資判断と異なってくる。これを適切に理解しないとプラットフォーム戦略を組み立てることができない。モノ売りからコト売りへの転換、ソリューションビジネスに展開する上で、その事業が持続的収益性獲得事業なのか顧客価値提供事業なのかによって、経営幹部は投資の判断や知財戦略の取り方を変えて判断する必要がある。

第4章

「攻めのオープンな知財戦略」に必要な組織、人材、育成方法

BEST MANAGEMENT LEVERAGING INTELLECTUAL PROPERTY

重要なビジネス・アーキテクト

「攻めのオープンな知財戦略」に必要な人材とは？

ここまで１９９０年代以降に米国の電機・ＩＴ企業を発祥として成立した「攻めのオープンな知財戦略」とは何か、その実現に向けた具体的なアプローチ、そして日米欧で「攻めのオープンな知財戦略」を実現した企業の事例を、特に「イノベーションのジレンマ」を解消したカギは何であったかを解説しつつ、紹介してきた。

ここまで各章を読んできて、読者の皆さん、特に企業で知財や法務の分野で実務にかかわっているビジネスパーソンの方であれば、今後、自社の経営戦略に「攻めのオープンな知財戦略」を導入する必要性を強く感じているはずだ。オープンイノベーションを通じて他社とビジネス・エコシステムを構築し、自社の生き残りを図る有力な選択肢だからだ。

とはいえ、米国企業と日本企業とでは、経営戦略を考える上で知財部門や法務部門が果たしている役割や重みがずいぶん違う。大手の米国企業は、知財や法務を担当する上級役員がいたり、知財・法務部門が弁護士などの専門家を多く抱えていたりすることが多いが、一般的な日本企業はそうではない。それゆえ経営側が、知財や法務に寄せている期待や役割の大きさも違っている。

こうした日米企業の知財、法務部門の違いも踏まえつつ、日本企業において「攻めのオープンな知財戦略」を実現するには、どんな人材や組織が必要か、そうした人材をどのように育てるのか、組織を作り上げるのか、著者（林）なりの考えと見通しを述べてみたい。

求められる「ビジネス・アーキテクト」

「攻めのオープンな知財戦略」（そのための調査であるＩＰランドスケープを含む）を目指すような日本企業の場合、大企業、中小企業にかかわらず、その知財部門・担当者が悩んでいることは共通している。それは、会社の事業のために知財を生かすことは重要だし、社内に知財戦略を扱う組織・担当者が必要なことも理解するが、その戦略的な機能を、はたして既存の知財部門・担当者が担えるのか、あるいは担うべきなのか、ということだ。

何度も紹介してきたが、１９７０年代から２０００年代半ばまで、一般的な日本企業の知財部門に期待された役割は、「特許を中心とする知財を取りまくる」ということだったといっていい。大企業も中小企業も、想定する競合相手は同業他社であり、知財はその同業他社の製品との差別化を実現したり、競合から知財侵害を指摘された際に対抗したりする、「守りのための知財」だったからだ。特許を取得するのであれ、ノウハウとして秘匿するのであれ、そうした守りに役立ちそうな知財を蓄え込むのが知財部門の役割であり、知財部員もそうした能力・機能に特化していればよかった。

一方、最近の企業の経営戦略は他社と提携して新たな価値を生むオープンイノベーションへシフトしている。企業は知財を、競合との差別化やリスク軽減に使うだけでなく、知財を提携先に提供して激しい競争領域を作り、顧客にとって価値の高いサービスを提供することなどが競争上、重要となっている。だから知財部門や担当者にとって、オープンイノベーションに必要な「攻めのオープンな知財戦略」にどう対応するのか、そのための能力をどう獲得するのかが大きな課題となっている。

経営層からすると、今までの「守りのクローズな知財戦略」だけでは経営へのインパクトが小さいため、知財部門・担当者に対して「攻めのオープンな知財戦略」に取り組むよう期待と圧力を高めることは自然だろう。しかし「攻めのオープンな知財戦略」、そのために必要となるＩＰランドスケープを、これまでの活動に加えてやるとなれば、会社のすべての技術・事業戦略に踏み込む必要があり、知財部門・担当者がこの領域まで役割を担うべきか、そのための能力を獲得すべきか、というのは悩ましい。

ちなみに、例えばインテルなどの米国企業では、知財部門は特許弁護士（日本の弁理士に相当）の集まりなので、主要な業務は発明の発掘、特許明細書の作成、発明の権利化、特許訴訟対応など、知財の権利化・訴訟にかかわる実務に専念しており、会社の事業・技術戦略には踏み込んでいないのが実情だ。米企業では事業・技術戦略を担っているのは経営企画・事業企画などの部門である。

一方、日本の知財部門はそうした知財の権利化・訴訟への対応などに加えて、ＩＰランドスケープ（戦略策定に必要な知財情報分析による市場・競合・顧客分析）や戦略まで業務の幅を拡大しようとする動きがみられる。ＩＰランドスケープの活動の成否によっては、日本企業の知財部門も米企業の知財部門のように知財の権利化・訴訟への対応に縮小され、リストラされかねないとの危機感があるためだ。

欧米企業には、第1部でも紹介した「ビジネス・アーキテクト」というポジションが存在し、キャリア採用のジョブディスクリプション（職務記述書）も存在する。知財部門が弁護士の集まりで特許権利化及び訴訟対応の専門領域にフォーカスしているからかもしれない。ビジネス・アーキテクトとは、「ビジネスモデルを設計する人」であり、顧客にとって新たな価値を創出するために、自社の既存事業を再編したり取引先を取り込んだりしてビジネス全体を再定義し、どうやってソリューションビジネスを展開するかを設計することが役割だ。既存事業の製品・サービスの効率化（オペレーションの効率化）のメンバーとは役割が異なる。

欧米企業では、このビジネス・アーキテクトが知財をよく知り、事業への使い方、技術戦略への落とし込みを行っている。ソリューションビジネスを組み立てる場合には、２つ以上の事業をつなげる必要があり、通常、他社との提携が必要となることから、提携戦略を考えることが必須であるため、ビジネス・アーキテクトが「攻めのオープンな知財戦略」をよく理解し、エコシステムを構築するための提携の動機としてうまく知財を活用する手法・戦略を考案し、ソリューションビジネスを実現していくことが必要不可欠なのだ。

知財部門はビジネス・アーキテクトの役割を担えるか？

日本企業では、知財部門がビジネス・アーキテクトの役割を担えるのか、担うべきなのか、ということを考える必要がある。少なくとも現状の知財部門には、ビジネス・アーキテクトの役割と能力を備えた人材は極めて少ないとみられる。あるいはビジネス・アーキテクトを、知財部門ではなく、米国企業と同じく経営企画、事業企画、技術企画などの企画部門が担うことも考えられる。その場合、経営企画、事業企画、技術企画の組織や人材に対し、知財に関する知識やＩＰランドスケープを実施する能力などを含めて、どんな機能と能力を持たせるべきか、その能力をどのようにして身につけさせればよいのか、といった議論から始める必要がある。

ＩＰランドスケープと言うと、知財の分析結果を経営に生かすという使い方を期待する向きが多いと思われるが、自社の経営戦略を「守りのクローズな知財戦略」、つまり知財戦略を競合に対する特許リスクと差別化できるかどうかの守りの戦略と（だけ）位置づけた場合には、いわゆる従来からの「特許クリアランス調査」（新たに自社が取得しようとする特許が、他社の特許に抵触するか否かを特許情報により調べること。何10年も前から行われてきた）とあまり変わらないということになる。

一方、ＩＰランドスケープを、世界中の知財の情報をも考慮して事業戦略・技術戦略を作るための情報インテリジェンス活動の一環というところまで期待する場合は、既存事業の上流・下流の事業での技術トレンドの分析を徹底的に調べることになる。その結果、潜在的顧客を特定し、顧客の期待にこたえるソリューションビジネスを考案・整理し、その要素技術のトレンドを把握し、Ｒ＆Ｄにおける技術開発テーマをどうするのか、自社開発なのかオープンイノベーションなのか、事業はどの会社と提携して規模を確保するのかといった技術戦略・事業戦略、アライアンス戦略の策定までが必要となってくる。

アライアンス戦略を策定する場合、エコシステム構築のために提携先に（どんな）知財をオープンにするのかといった、まさに「攻めのオープンな知財戦略」のコアといえる細部の設計の検討が必要になる。だからあなたの会社の場合、知財部門の役割というものを、経営・事業・技術企画部門に対して今まで通りの「守りのクローズな知財戦略」を提案することにとどめるのか、それとも事業戦略・技術戦略と一体となる「攻めのオープンな知財戦略」を提案するところまで役割を担うのか、決めることが大事かと思う。

知財部門が「ＩＰランドスケープは有用。特許情報は技術情報の７割をカバーする」と社内で提案すれば、どの経営者も「それは有用だ。やってみろ」と言うだろう。ただ、経営層の認識を、「ＩＰランドスケープというものは事業戦略・技術戦略を作るところまで含むもので、そこにこそ期待すべきもの」だというところまで引き上げ、それをやるということを事前に経営層と「握って」から、戦略を実行する事業部門の担当者らと話さないといけない。

そうしないと、ＩＰランドスケープをやっているにもかかわらず、いつの間にかやっているのは従来からの「守りのクローズな知財戦略」の活動に過ぎないという事態にもなりかねない。最近、著者（林）は企業の知財部門の方から、次のような依頼をされることが増えた。「1年近くＩＰランドスケープの活動をしてきたが、レビューをした結果、うまくいっていないと判明した。そこで改めて経営幹部層にも一緒に入ってもらい、ＩＰランドスケープを立て直すというプロジェクトを進めてほしい」という依頼だ。

一方で、ＩＰランドスケープを実施する企業において、経営企画部門などの経営幹部からは「(テキストマイニングや技術分類の類似性を判断してクラスタリングを行い、類似技術の近接性を投稿線マップで描いた）ヒートマップなんていくら見ていても、企業が取るべき事業、技術、Ｍ＆Ａに関する戦略なんてまったく思い浮かばない。次の戦略的なアクションにつながらない」という悩みをよく聞く。知財部門の幹部は「事業・技術戦略を作る上で、知財部門が入ることでどういう効果があるのか、戦略策定のプロジェクトを始まる前に具体的な効果が出そうな手順を示してから始めてほしい」とのリクエストを経営幹部から受けているものの、「まだＩＰランドスケープでなんの実績も上げていない状況で、そんな説得力のある説明なんてできない」と困惑している。

知財の機能を経営に取り込む上で、経営・事業企画部門側は、経営戦略に知財の機能を融合させて実効性のあるものとするためには、知財部門との連携を試行していく必要はもちろんある。一方で、知財部門側が経営部門と適切なコミュニケーションを取れるようになるためには、経営戦略及び戦略策定のアプローチを十分に理解するべきである。

法務・知財部門が事業開発を仕掛ける難しさ

2024年1月、企業の法務関係者らが集まる「戦略法務・ガバナンス研究会」という会合において、対談に招かれた三菱商事執役役員監査部長の藤村武宏氏が、法務部門から経営企画部門に異動した際の経験を語っていたのが印象に残っている。「経営企画部門に異動して経営の現場に接し、そこで初めて法務部門が果たすべき役割、本当の価値に気づいた。それまで自分が法務部門で果たしたと思っていた仕事は独りよがりであり、抱いてきた自負も吹き飛んでしまった」という体験談だった。

藤村氏は「確かに経営者は、特定の専門的な課題（例えば新規事業が国内外の法規制に照らして合法か否か、など）に落とし込んだ質問を法務部門にすれば、かなり精緻な回答を得る事ができる。同じ質問を外部法律事務所の弁護士に聞けば有料なので、追加料金がかからず気軽に相談できる法務部門は、その意味では存在意義はある。しかし、例えば気候変動に関連した情報開示（TCFD）を経営的な課題としてどう考えるか、財務インパクトの関係でどう判断すべきか、法律やコンプライアンスや事業リスクとの関係でどう対応すべきか、といったレベルの相談まではできないのが実情だ」と話していた。

藤村氏いわく「一方、法務で鍛えられた担当者は、客観的な事実を把握して本質を見極める能力、論理的な思考力、他者に対するプレゼンテーション能力、会社の事業に対する一般知識などを備えているから、上述のような経営課題に対しても様々な法規や規制を踏まえて、具体的な解決策を提案できるはずだ。こうした総合的な経営リスクに対する助言こそ、実は会社の法務部門が求められている役割なのだ」と。国内最高レベルとされる三菱商事の法務部門であっても、まだその段階には達していないということだ。このように企業では、法務・知財と事業の融合には難しさが存在する。

最近、ある大手企業の知財マネージャーが独立した。この方とは近年、一緒にその大手企業の事業部門に対してＩＰランドスケープ活動を実施していた。知財と事業を融合させて、特定の事業で新規事業を開発し、提携先に対して知財を提携の動機としてオープンイノベーションを仕掛けるという戦略を提案していた。かなり先進的な試みで、特許情報だけではなく競合や顧客などの有識者のインタビューも含めて商流を把握したり、商品の購入意思決定の際に重要となる要因、競合優位性を確保するための要因などを整理したりして、提携を含む事業判断のための材料を事業部門に提示した。この活動に対して、その大手企業の事業部門からの評価も高かった。

しかし、その大手企業の知財部門に長年所属しているマネージャー陣が、我々の提案した動きを知財部門の役割としてとらえることができなかった。その結果、同社で実施するＩＰランドスケープ活動としては、事業構想策定後の研究開発（Ｒ＆Ｄ）の成果に対して、どうやって良い特許を取得するのか、競合企業との知財紛争リスクを検討・提言するといった従来からの知財部門の活動に戻ってしまい、事業戦略を策定する新たな役割を知財部門の役割として定着できなかったというのが、結論だ。

このケースでは、企業の法務・知財部門の立場から会社の事業開発を仕掛ける難しさを感じた。結局、この企業では事業部門の企画担当者が知財を理解した上で事業戦略を策定できるように、知財部門はいわば「教育部門」としての役割を担うべきという整理がなされた。実際、著者（林）がかつて米ＩＢＭの知財機能や各部門の役割分担を調査した場合も同じだったため、企業で知財と事業の融合を図る上での「一つの形」であると考える。つまり知財部門の担当者は、経営企画・事業企画部門の担当者に事業開発における知財の機能を教育できる力をもつことが必要であり、経営企画・事業企画部門の担当者は、事業開発における知財の機能を理解した上で、知財と事業の融合を図っていくことが望ましいと考える。

日本企業において攻めのオープンな知財機能をどう保有するか

コーポレートガバナンス・コードとの関係で、ＩＰランドスケープを企業の知財部門でやってみたいという企業が増加しているが、ＩＰランドスケープを知財部門で実際にやり切るには、難しさがある。もちろん、技術情報の７割が特許情報といわれており、デジタルも含めて技術とまったく無関係な事業でない限り、知財の情報を使って内部外部環境を把握して戦略を立てない理由はないと思う。

通常、企業において事業開発・アライアンス戦略の策定は、経営企画部門などが主管部署となっている。だから知財部門はＩＰランドスケープを実施する前に経営企画部門と密にコミュニケーションをとっておく必要がある。経営企画側が経営陣や各事業部門などと連携して取り組んでいる中長期の経営課題と戦略についてしっかりと把握しておき、その上で知財部門はＩＰランドスケープを実施し、その分析結果が全社の経営戦略につながるようなものに仕上げていく必要がある。

知財情報の分析結果を戦略の実行につなげるには、そもそも戦略策定するスキル・能力がないとなかなかうまくできない。結局、知財部門・担当者に、戦略策定をするスキル・能力をもった人材が必要ということになる。個人的には、技術戦略・事業戦略を策定する部署に知財部門が配置され、事業・技術戦略を知財戦略と一緒に作る組織にできると、ＩＰランドスケープを効果的に実行できる可能性が高くなると考える。

知財部門は企業の持続的な成長に貢献するために、ビジネス部門やR&D部門と密に連携してコミュニケーションギャップを埋め、また経営層とも日常的に対話することを通して、効果的な知財戦略の策定に積極的に参画することが重要になる。ＩＰランドスケープの機能の定義は各社各様であり、知財部門主導で行える活動もあるが、それに加えてビジネス・技術開発部門との連携が必要となる活動まで展開するのかどうか。そうなると、ここでは知財部門の役割・機能の再定義が必要となる。

従来からの製品中心の経営戦略では、知財部門は研究開発の成果を特許として権利化するのか、ノウハウとして秘匿（ひとく）するのかなど知財の蓄積に関して考えることが役割だった。役割が限定されているから、事業・技術戦略の策定にまで積極的に入っていく必要がなかった。しかし、ソリューションビジネスを展開するため知財の機能を拡充する上では、ＩＰランドスケープを駆使したインテリジェンス機能の強化や、「攻めのオープンな知財戦略」の理論の理解、それを会社の具体的な戦略に落とし込むスキルを持つ必要がある。

したがってソリューションビジネスを展開するのに必要な「知財機能」を、実際に日本企業が備えていくためには、企業は実施するべき組織改革、人材育成の方向性、ビジネス・アーキテクトに足る人材を育てるための具体的なアプローチが必要になる。

組織改革の方向性と具体的なアプローチ

2つ以上の事業をつなげる

第2部の要素をまとめてみよう。プラットフォーム戦略を実現していく上では、2つ以上の事業をつなげる必要があり、一方を差別化を目的とする持続的収益獲得事業とし、他方を顧客を獲得するために魅力的なサービスを提供する顧客獲得事業として、1社で実現できない価値を顧客に提供できるソリューションビジネスを実現しなければならない。モノ売りではこれら2つの事業の役割が一致していたところ、ここまで述べてきたようにグローバルでの勝ち筋であるプラットフォーム戦略に転換していく場合には、自社の利益追求の収益獲得事業とは別に社会課題起点で必ずしも自社利益を訴求しない顧客獲得事業が必要となる。

今まで自社の利益を創出する目的で技術開発や事業開発に投資してきた企業に、今までにない経営判断、つまり自社の利益を度外視しての顧客獲得事業への投資の判断ができる視点やビジョンが必要になる。モノ売り事業が中心だったこれまでの日本企業は、利益を出さずに投資し続けるという考え方がなかったため、プラットフォーム戦略を展開する上で今までにない経営判断をする力量が必要となる。

さらにプラットフォーム戦略に転換していく場合には、自社の利益追求の収益獲得事業とは別に社会課題起点で必ずしも自社利益を訴求しない顧客獲得事業が必要となる。企業の組織設計として、顧客獲得事業を持続的収益獲得事業の下に設置し、顧客獲得事業に対する投資責任も持続的収益獲得事業側にもたせることを明確にする必要がある。この持続的収益獲得事業のビジョンは、顧客獲得事業の商品・サービスで実現できる成果を含めて描く必要がある。

ビジネス・アーキテクト育成の2つのルート

加えて、企業がプラットフォーム戦略を実践するためには「ビジネス・アーキテクト」という新たな役割の設置と、その責任の明確化が必要だ。繰り返しになるが、ビジネス・アーキテクトとは「ビジネスモデルを設計する人」であり、顧客にとって新たな価値を創出するために、自社の既存事業を再編したり取引先を取り込んだりしてビジネス全体を再定義し、どうやってソリューションビジネスを展開するかを設計することが役割だ。既存事業の製品・サービスの効率化（オペレーションの効率化）の担当者とは役割が異なる。

経営企画部門や事業企画部門にビジネス・アーキテクトのポジションを設けるか、知財部門に各事業のアーキテクトのポジションを設置するか、検討が必要となる。著者（林）は、経営

図表19　攻めの知財戦略を実現する企業の組織設計のイメージ

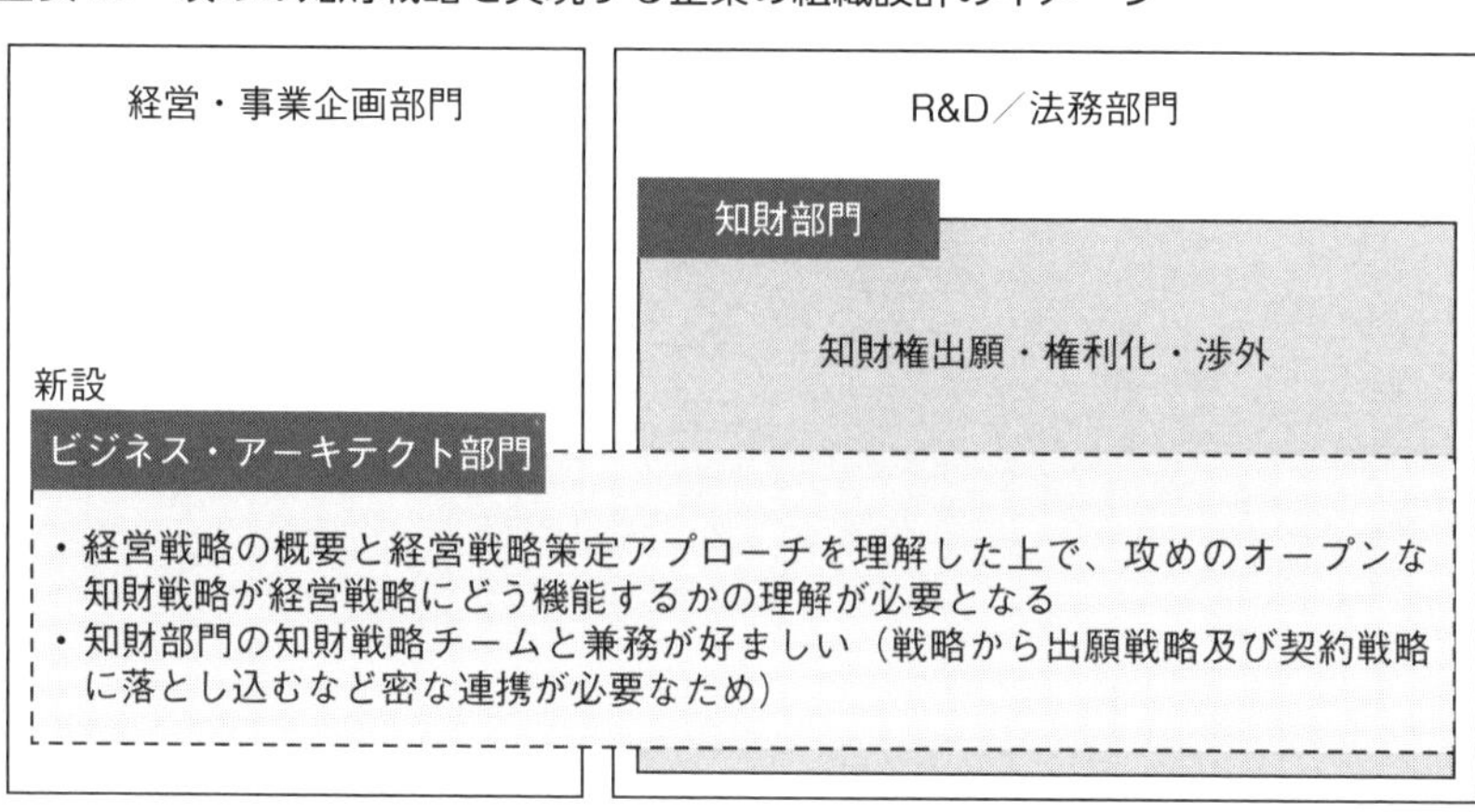

戦略と知財戦略の融合は、経営戦略がベースとなるため、経営企画部門や事業企画部門にアーキテクトのポジションを設置することがよいと考える。その上で、知財部門（または知財部門の知財戦略チームのみ）を経営企画部門、事業企画部門に統合、または兼務させることがより好ましいと考える。

一方で、特許・商標などの出願・権利化、訴訟対応を中心とする既存の知財業務を担当するチームは、どうするか。事業戦略に基づいたR＆Dの成果をしっかり権利化する機能が重要となる製造業や、知財の紛争・訴訟が多い業界、R＆D部門との連携が重要性となる企業ではR＆D部門の傘下に置いたり、経営に与える法務機能が重要な企業では法務部門との連携の重要性から法務部門の傘下に置いたりすることが考えられる。あるいは並列の配置のままでもよいと考える。

ビジネス・アーキテクトを育成するには、大きく2つのルートが考えられる。まず経営企画部門や事業企画部門の人材や経験者に対しては、経営戦略（プラットフォーム戦略やエコシステム戦略）の知見をベースにして、両戦略を進めるために「攻めのオープンな知財戦略」がどう機能するかという理解と、その戦略策定アプローチの理解が必要となる。一方、知財部門の人材や経験者をビジネス・アーキテクトとして育成するには、経営戦略の概要と経営戦略策定アプローチを理解した上で、「攻めのオープンな知財戦略」が経営戦略に対してどう機能するかという理解と、その戦略策定アプローチの理解が必要となる。皆さんの会社において、このようなプロセスでビジネス・アーキテクトの育成が進むことを、切に願うものである。

第3部

「新冷戦」は、日本復活に向けた大チャンス

第1章

日本が知財で勝利するには？

BEST MANAGEMENT LEVERAGING
INTELLECTUAL PROPERTY

米中新冷戦が大きな転換点に

２０２３年広島サミットは歴史的転換点へ

２０２３年5月19日から21日まで広島市で開催された日米英など主要7カ国（Ｇ７）の首脳会議（サミット）。後から振り返って、人々が「日本が『失われた30年』から立ち直った転機は、あのサミットだった」と思い起こすかもしれない。

そう思ったのは、同サミットで議長を務める日本の岸田文雄首相が、広島の平和記念公園で米国のバイデン大統領らＧ７首脳を出迎え、各首脳に被爆の実相を訴えた（これは大切なことだが）からではない。またウクライナのゼレンスキー大統領が電撃訪日し、西側民主主義国との結束を誇示したこととも関係ない。

個人的に今回のＧ７サミットで最も印象に残った光景。それは開幕前日の18日、Ｇ７に合わせて来日した米欧韓国台湾の半導体関連7社のトップがそろって首相官邸を訪れ、岸田首相に彼らの日本での事業計画を明らかにしたことだった。

岸田首相と面会したのは、台湾積体電路製造（ＴＳＭＣ）の劉徳音・董事長、米インテルのパット・ゲルシンガー最高経営責任者（ＣＥＯ）、米マイクロン・テクノロジーのサンジェイ・メロートラＣＥＯ、韓国サムスン電子の慶桂顕ＣＥＯら７人だった。このような錚々たる世界の半導体業界のトップが、日本で一堂に会し、事業について日本の首相に報告するなどという場面は、近年の日本の状況からは考えられないことだった。

半導体トップ各社が日本進出

グローバル半導体トップが日本で岸田首相と会う前後から、彼らの日本への大規模な投資・事業計画が次々と明らかになった。マイクロンのメロートラＣＥＯは日本経済新聞のインタビューに対し、広島工場に半導体メモリーの最先端品を製造するための設備を導入するなど、今後数年で最大５０００億円を投資することを明らかにした。

半導体製造装置大手の米アプライドマテリアルズのプラブ・ラジャ・プレジデントは日経新聞に「今後数年に日本でエンジニアを８００人採用し、日本法人の人員を現在の１・６倍に増やす」と語った。世界的な半導体研究開発機関、ベルギーの「ｉｍｅｃ（アイメック）」は日本の半導体製造会社、ラピダスを支援するため北海道に研究開発拠点を設ける考えを明かした。

インテルのゲルシンガーＣＥＯも「日本への投資を議論中だ」とし、半導体を製品に最終加工する後工程分野などを対象に日本企業と協力する姿勢を示した。さらに同社は、日本の理化学研究所と量子計算やスーパーコンピューターなどの分野で共同研究を進める覚書を結んだと発表。量子コンピューターやスパコンを、人工知能（ＡＩ）の高度化に対応できる計算能力を確保できるようにするという。

またサムスンは３００億円を投じ、日本の横浜市内に先端半導体デバイスの試作ラインを整備する計画を明らかにした。日本政府の補助金も活用し、日本の素材や製造装置メーカーとの共同研究を進める。半導体売上高で世界2位のサムスンが日本に拠点を置くことで日韓半導体産業の連携強化に弾みがつく。

すでに明らかになっているように、半導体売上高世界1位のＴＳＭＣは熊本県菊陽町に日本最大級の半導体工場を建設中だ。２０２４年末に稼働する予定で、隣に立地するソニーグループの画像センサー向けロジック半導体を生産する。ＴＳＭＣは日本で第2工場も計画しており、日本への総投資額は1兆円超になるとされている。２０２３年5月時点で明らかになっている外資企業の日本に対する事業計画を合わせると、投資額は２０２1年以降で2兆円超となる。

また「半導体ニッポン」の復権をかけて２０２２年にトヨタ自動車やＮＴＴなど国内大手企業の出資を受けて設立された先端半導体の「日の丸」開発・製造会社のラピダスは、米ＩＢＭの研究所やアイメックなどと連携し、北海道の千歳市に試作ラインを新設する。２０２５年1月に完成する予定で、30年代後半に量産体制を築くには総額5兆円程度の投資が必要とされ、経済産業省などが支援する。

経産省は2023年4月、国内で生産する半導体関連の売上高を「2030年に15兆円」とし、足元の「5兆円」から3倍に増やす目標を発表した。TSMCの熊本工場や、最先端品を生産するラピダスの稼働を踏まえ、従来の目標を引き上げた。この30年間、「日本の半導体は終わった」と言われてきたことを考えると隔世の感がある。

久々の「日本買い」に沸く列島

国策会社のラピダスはともかく、世界からこれだけの半導体大手の投資が日本に集まりつつあるのは、なぜか。いうまでもなく「米国と中国の緊張・対立」が始まって以降のアジアの地政学的な変化が要因だ。中国は半導体の島・台湾に対する軍事侵攻の可能性を否定しないままで、アジア・太平洋地域での拡張政策を進めている。

冷戦終結以降の経済グローバル化の転機は2015年。中国が半導体を含めた各産業分野で米国に追い付き、追い越す野心を国家方針「中国製造2025」で表明した。脅威を感じた米国は中国への経済制裁を始め、特に半導体など先端分野で中国を西側経済から切り離すデカップリングを進めている。一方、北朝鮮は近年、大陸間弾道弾（ICBM）などのミサイルを打ち上げ続け、法的には休戦中に過ぎない隣国・韓国への威圧を続けている。

米国と対立する中国。軍事侵攻の脅威に直面する台湾。北朝鮮を経て中国やロシアに陸路で接続する韓国。これらの国・地域とは海で隔てられ、米国と安全保障条約を結び、優れた産業基盤と技術力、さらには一定の防衛力も備える日本が、半導体立地拠点として比較優位性を強め、改めて脚光を浴びているといっていい。

このことを世界の投資家も再評価し始めていることを示すのが、Ｇ７広島サミット開幕日に東京株式市場で日経平均株価がバブル経済崩壊後の最高値を更新し、一時３万９００円台前半を付けたことだ。２０２３年５月19日付の日経新聞夕刊１面には「海外投資家による日本株買いが続く。中国などに比べ地政学リスクが低いとされる日本での半導体投資構想が買いにつながっている面もある」とある。

ラピダスや外資大手が相次いで日本に半導体の拠点を設けると表明したことで、地域経済も活性化する。ラピダスが工場進出を表明した北海道は、半導体製造だけでなく、研究開発や人材育成を含めた複合拠点を整備する。来日したベルギーのアイメック首脳も「日本の大学や他企業と連携するのに、北海道に研究拠点を置くのが理にかなっている」と日経新聞のインタビューに答えた。

ＴＳＭＣの熊本県進出が起爆剤となった九州各地も、半導体関連の設備投資が急速に活発化している。２０２１年11月のＴＳＭＣ進出発表の前後から２０２３年３月までにソニーグループや京セラなどが公表した設備投資計画は計57件、１兆８４００億円超に及ぶ。九州フィナンシャルグループが２０２２年９月に公表した試算では、ＴＳＭＣ進出による熊本県内の経済波及効果は２０３１年までで約４兆３０００億円に上る。直接投資のほかに、人口の増加に伴う住宅・商業施設の建設や個人消費の増加も含む数字だ。

まさに久々の「日本買い」に沸く列島。ただ冷静に考えると、すべてのきっかけは米中新冷戦の勃発にあり、それに伴う地政学的な変化が日本経済と日本の産業競争力にとって、想定外の幸運をもたらしつつある、ということが見えてくる。一方で、日本企業が知財・無形資産を十分に生かせていないのも事実であり、国内外の機関投資家の日本企業に対する評価は依然厳しい。第1部、第2部で繰り返し述べてきたように、個々の企業は、まだ１９９０年代から２０２０年代までの「失われた30年」から脱却できていないことを忘れてはならない。

ＩＰランドスケープ活用こそが日本企業復活のカギ

経営と知財を結びつける必須ツール

では日本企業の現状を変える、新たな「羅針盤」はないのか。ある、と筆者（渋谷）は考える。それが「ＩＰ（知財）ランドスケープ」だ。繰り返しになるが、ＩＰランドスケープとは、簡単にいうと自社や他社、特定業界の知財を分析し、その結果を経営判断に生かすことをいう。２０１０年ごろから欧州企業が使い始めた言葉とされる。

本書の第2部で詳細に紹介した「攻めのオープンな知財戦略」も、企業が事業戦略を立案する際にＩＰランドスケープによる分析を駆使することを当然の前提としている。また第1部の終盤では、「ＩＰランドスケープだけでは知財と経営は融合しない」と手厳しい指摘もしているが、逆にいえば、ＩＰランドスケープは知財と経営を融合させるための最初の必要条件であり、十分条件ではないと言っているだけだ。

特許権や商標権、意匠権といった知的財産権（産業財産権）は、企業などが各国の特許庁に出願し、取得する。各国特許庁は情報を一定期間後に公表するため、現在ではインターネットで誰もが内容を閲覧できる。例えば特許は出願する技術分野などによって非常に細かく分類され、発明者や引用した先行特許なども記載される。

これらをデータベースとして分類・集積し、高度な分析ツールで提供する専門会社も多く存在する。知財情報のみならず他の市場調査、Ｍ＆Ａの状況、技術・製品のトレンド、企業分析なども組み合わせて、経営者に分かりやすい判断材料を提供することがＩＰランドスケープだといえる。

知財情報の閲覧そのものは、何10年も昔から行われてきた。ただ、それは企業の研究者や技術者、あるいは特許事務所などが「この発明で特許がとれるか」とか「この分野にはどんな特許が多いのか」といった実務で用いたり、企業の知財部門であれば「新たな発明で特許を取得したいが、同じ分野で他社はどんな特許を出しているか」といった特定事業や特定製品の分野で知財の状況を調べたりといった狭い使い方だった。

現在、注目されるIPランドスケープとは、知財分析を企業のM&A(合併・買収)、スタートアップ企業への出資を含めた事業提携、新規事業分野の探索、事業構造の転換、異業種への参入といった、会社の命運を分けるような経営の意思決定に生かすという広い使い方を指す。このような知財分析の使い方をしている企業は多くなく、日本では2021年4月に特許庁が明らかにした調査によれば、積極的に特許出願をしている企業の中でも、その約1割に過ぎないという。

日本企業、特に大企業の経営陣の周りには、法律や知財に詳しいブレーンはいない。知財部門はあっても、その役割は特許や商標の出願や管理など、バックオフィス的な仕事に限定されており、経営陣との距離は遠い。経営陣も、まさか知財部門が自分たちのブレーンになり得るなどとは思っていない。しかしIPランドスケープというツールを導入すれば、経営陣や事業部門長らが方針や戦略を決定する際に、知財や技術などの面から他社や市場の客観的な情報が得られるのである。それによって経営陣や事業部門長は戦略の正しさを確認したり成功確率を高めたりできる。知財部門は社内下請け的な立場から、M&Aや新事業にかかわる戦略的部門へと地位を引き上げることが可能となる。IPランドスケープこそ疎遠だった経営陣と知財部門を結びつける「最初のキーワード」だと著者(渋谷)は確信する。

IPランドスケープで何が見えるのか

IPランドスケープとは、どんなものだろうか。いまだに、その意義に気付いていない経営者も多い。同手法に用いるツール会社の協力を得て国内外の有力企業の「知財力」をIPランドスケープによって比較したところ、日本勢は特許の数は多いものの、質や管理の面で海外勢に後れを取っていることが分かった。経営者はIPランドスケープを導入して、自社の実態を知る必要がある。

まず、図表20を見てほしい。これはIPランドスケープに使われるドイツ製の「パテントサイト」という分析ツールを用いて、2020年4月の各社の「知財力」を視覚的に示したチャートだ。横軸は各社が保有する特許の件数を、縦軸は各社の特許の質を示す指標「コンペティティブ・インパクト（CI）」の平均値を、円の大きさは総合力を示している。

CIは各特許の技術的価値（他の特許による引用）と、市場（どれだけの国で特許化されているか）で算定される。被引用件数を指標にするのは、他の特許が出願時に自らの独自性を主張する際に引用されるほど、価値が高い特許とみなせるためだ。世界の全特許のCIの平均値が「1」とされている。

チャートに載っているキヤノンやトヨタ自動車など日本企業のいくつかは総合力（円）が大きいが、右下に偏っている。これは各社が持つ特許の数が多く、平均的な質は低いことを示し

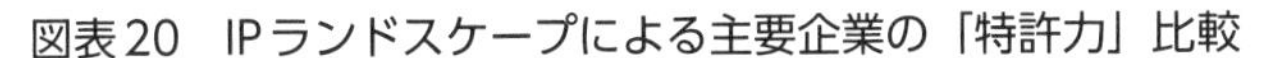
図表20　IPランドスケープによる主要企業の「特許力」比較

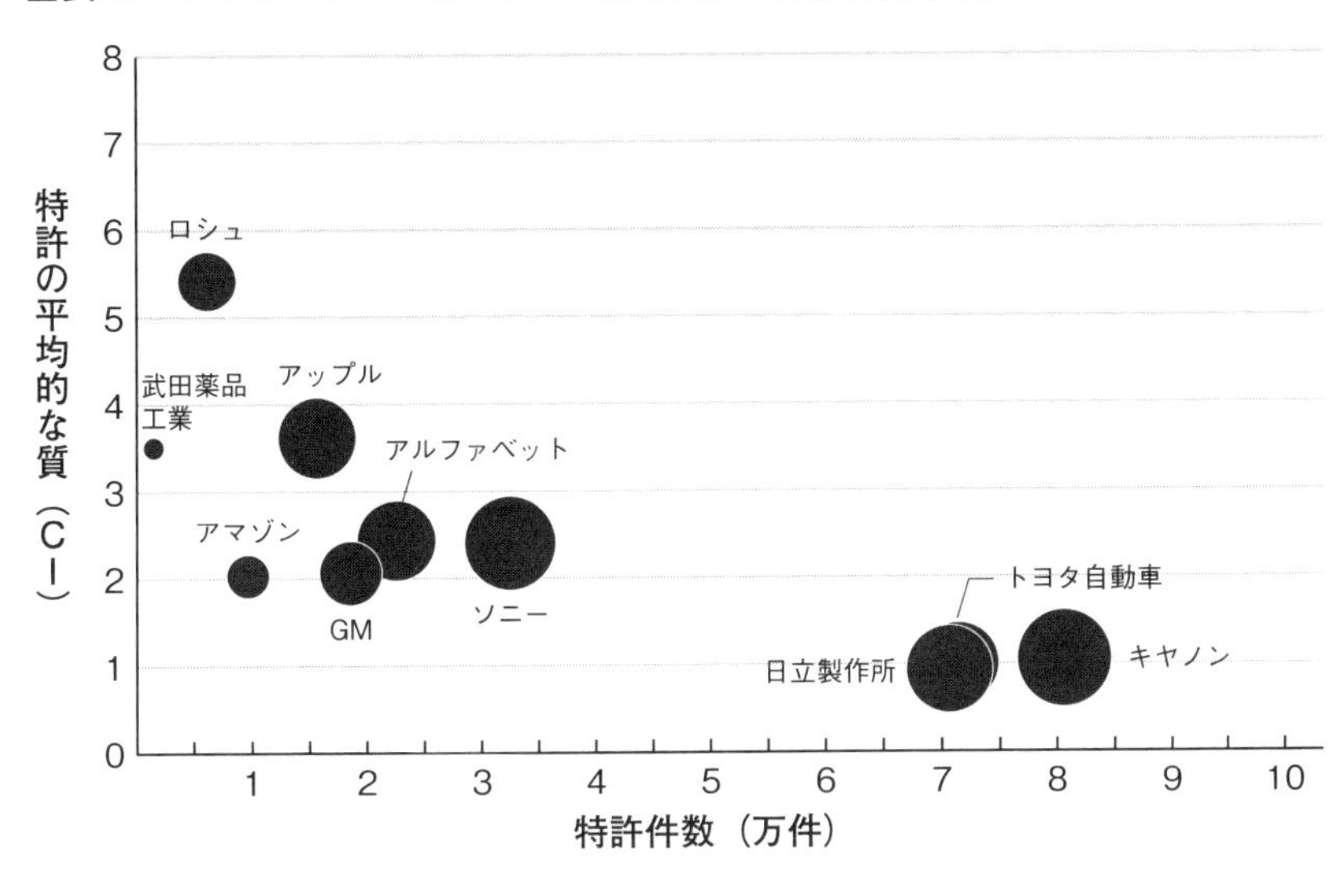

ている。つまり日本企業の知財総合力は、主に特許の量で達成されている。

一方、米アップルやアルファベット(グーグルの持ち株会社)、スイスのロシュなどは総合力(円)も大きく、その円がチャートの左上に寄っている。日本企業とは逆で、保有する特許数は比較的少ないものの、特許の平均的な質が高いため、総合力を得ているのだ。

「総合力が同程度ならよいではないか」というのは誤りだ。特許は質にかかわらず、同程度の維持コストがかかるからだ。特許を1件出願、登録し、有効な20年間維持するためには平均100万~200万円かかるとされる。例えば、日立製作所とアップルを比較すると総合力(円の大きさ)は同程度だが、特許の数は日立の7万件超に比べて、アップルは1万5000件程度にと

図表21　ソニーとパナソニックの知財状況（2000年〜2020年）

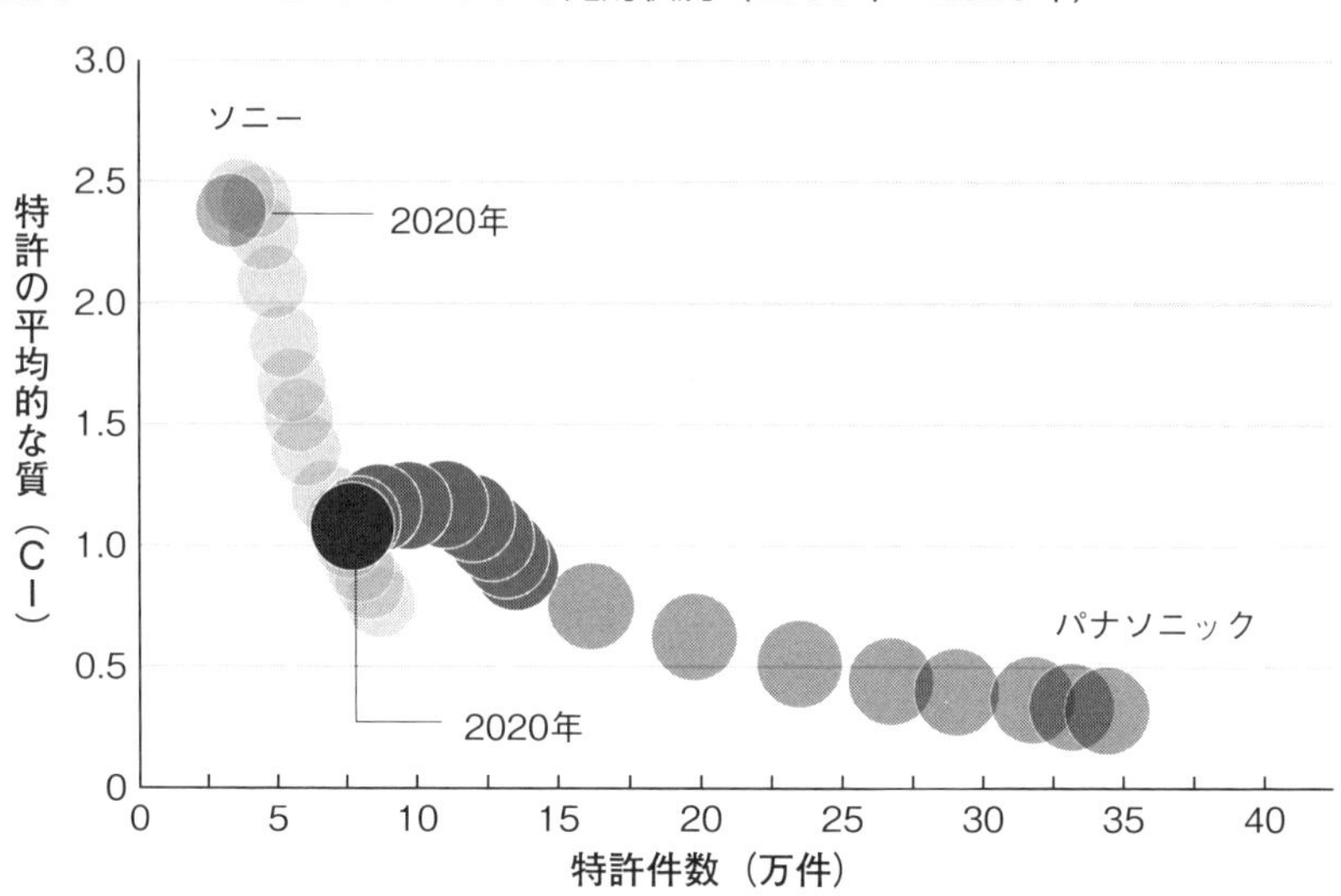

どまる。アップルは特許の平均的な質が高いため、単純計算では、日立の4分の1以下のコストで互角の総合力を達成していることになる。

日本企業で注目すべきはソニー（現ソニーグループ）だ。特許の平均的な質ではアルファベットに匹敵していることが分かる。図表21はソニーとパナソニックの知財総合力（円）の2000～2020年の動き（左に行くほど近年）を示している。ソニーは特許の数を減らしつつ質を高め、総合力も保っている。パナソニックも同じ方向を目指したものの、ソニーとの質の差は広がってしまったようだ。

パテントサイトは法務情報サービスの米レクシスネクシス子会社、独パテントサイト社の製品だ。CIは同社の独自指標で、特許の質を客観的に判断できるとしている。ＣＩを使って、自社特許の質の向上に努めている日本企業もある。

ホンダは保有する約5万件の各特許の権利を翌年も（手数料を払って）維持するか否かの判断を、人工知能（ＡＩ）も活用しながら決める作業を２０１９年から始めた。知的財産・標準化統括部の当時の部長は「特許の存否を決める要素のひとつにＣＩを採用している」と話していた。リコーも２０１８年度からパテントサイトでＩＰランドスケープを実施し、経営陣などへの戦略提案に生かしている。知的財産本部の当時の副本部長は「特許を量と質の２軸で表現でき上層部に説明しやすい。予算獲得に役立っている」と話した。

スウォッチのチャートから浮かび上がるアップルの戦略

専用ツールを用いたＩＰランドスケープを行うと、見えづらかった他社の知財戦略の先読みすら可能になる。独パテントサイト社が２０１８年ごろ、スイスの腕時計大手のスウォッチ・グループの保有特許について分析したところ、驚くべき結果が出たという。

図表22は、スウォッチの特許を引用した特許を、他社がどれだけ出願したかを時系列に示した古典的なチャートだ。他社に引用される特許は技術的価値が高いとされる。縦軸は特許件数であり、スウォッチの特許は毎年、他社に盛んに引用されていることは分かるが、他社の特徴的な動きは見えてこない。

図表23は、パテントサイト社が独自に作成したチャートで、縦軸は「スウォッチ特許を引用

図表22　スウォッチ特許を引用した特許の数

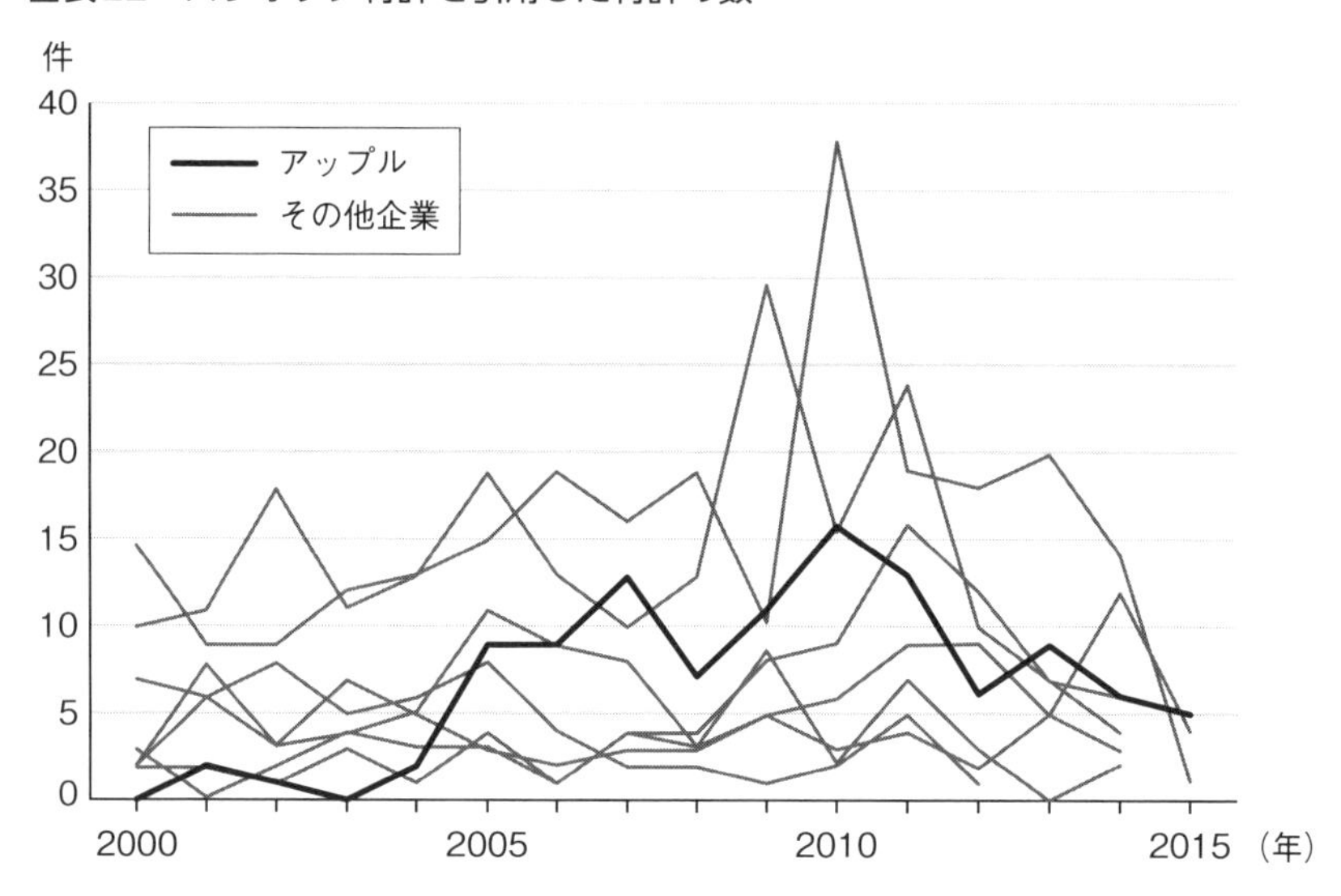

した特許の知財総合力」だ。1社だけスウォッチ特許を引用した特許でずば抜けた知財力を積み上げている企業があることが明確に分かる。2015年に「アップルウオッチ」で腕時計市場に参入したアップルだ。

スウォッチ特許を引用している企業が数ある中で、件数ではなく知財力に着目することで、アップルの動きがこれだけ目立つ。このチャートがあれば、遅くとも2012年ごろにはスウォッチは「アップルが何かやっている」と気付き、提携を模索したり特許ライセンス料の支払いを求めたりするなどして、アップルに対して何か手が打てた可能性がある。

このようにIPランドスケープを実施すると、これまで漫然と眺めていた他社の出願特許に特別な動きや特別な意味が見えて

図表23　スウォッチ特許を引用した特許の総合力（パテントサイト独自指標：PAI）

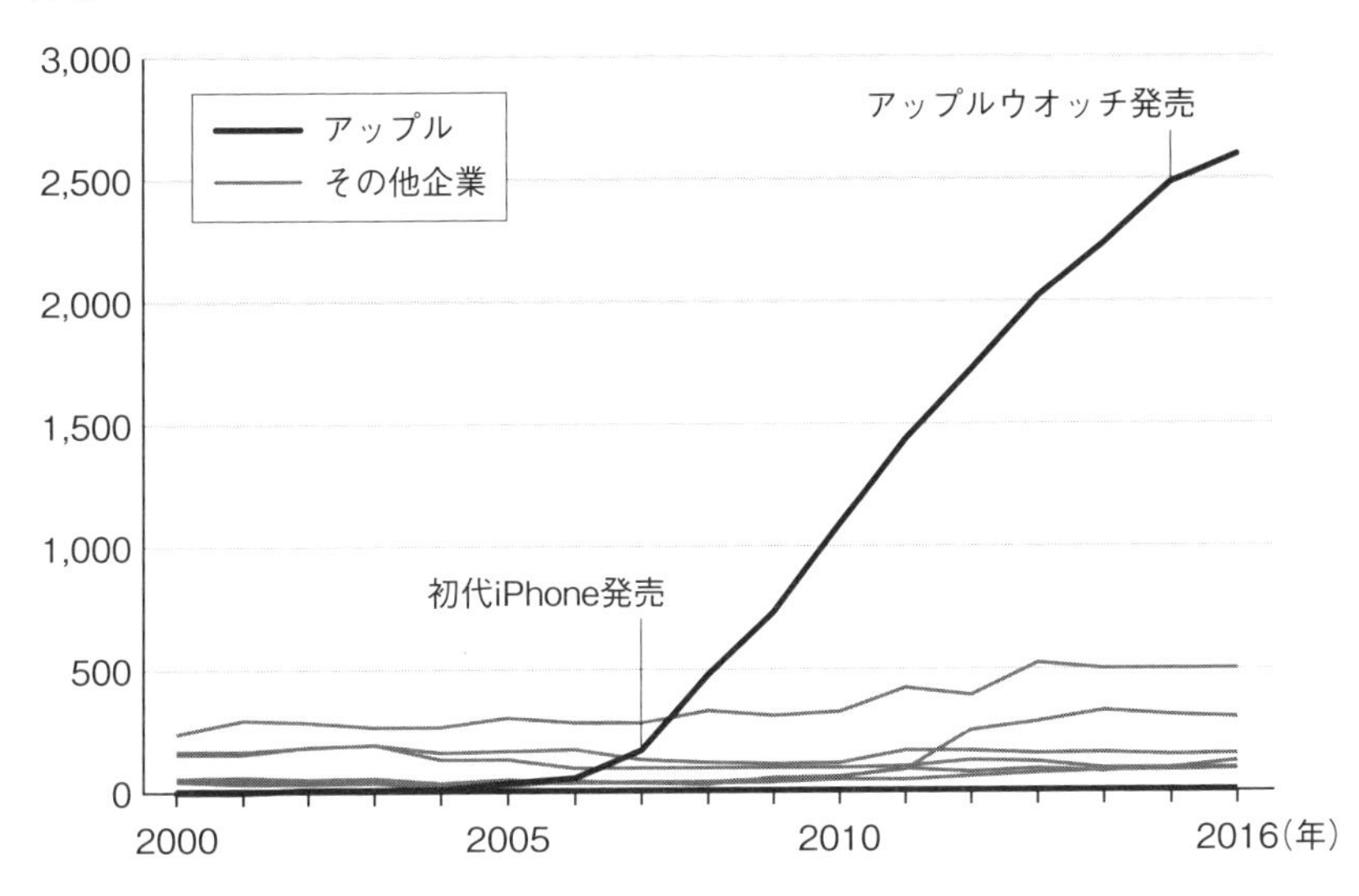

くる可能性がある。他社の動きが見えてくれば、自社がどんな立場にいるのか、何をしなければいけないかを考えるきっかけになる。日本企業も他社の戦略を先読みし自社の戦略に生かすため、ＩＰランドスケープの導入が不可欠だということが分かるだろう。

IPランドスケープを実践した日本企業の劇的な変化とは

IPランドスケープの威力を示す

IPランドスケープを実践すると、企業はどのように変わるのか。詳しくは筆者（渋谷）の前著である『IPランドスケープ経営戦略』を参照していただきたいが、ひとつ事例を挙げたい。それが機器メーカーのナブテスコだ。同社は航空、船舶、鉄道、建設機械、産業用ロボット、風力発電など多種多様な分野で活動し、各分野でのシェアが高いことで知られる。日本におけるIPランドスケープ実施の最先進企業だ。

実はナブテスコも2013年ごろまでは、他の日本の製造業と同じく特許をできるだけ数多く出願しようというのが知財戦略の基本であり、知財部門の社内的な地位も低かった。それを大きく変えたのが、東芝知財部門の出身で、ソフトウエア会社ACCESSの知財部門長を経て、自らの発明を生かした起業経験ももつ菊地修氏の合流だった。

ＩＰランドスケープの威力を知っていた菊地氏は２０１３年末にナブテスコ知的財産部長に就任した後、知財部のミッション変更を試みた。それまでの知財部は事業を担当するカンパニーの下に位置し、各カンパニーの技術者らが出願する特許を権利化したり経営部門からの問い合わせに応じたりする、いわば「社内の下請け」的な地位に甘んじていた。もちろん社長など経営陣との距離は遠く、お世辞にも戦略部門とはいえなかった。

菊地氏は「ＩＰランドスケープを駆使すればナブテスコの社業はもっと伸びる。ＩＰランドスケープを経営に組み込むためには、まず経営陣にＩＰランドスケープの意義を知ってもらう必要がある」と考え、２０１４年にある「賭け」に打って出た。「新事業の探索、開発テーマの検証」と題したＩＰランドスケープを実施し、社長をはじめとする経営陣に大々的に提言したのだ。本件は第1部でも触れたが、日本企業によるＩＰランドスケープ活用と知財重視の経営の実践を学べる希有な事例であるので、もう一度詳しく紹介する。

テーマは同社が進出を検討する「洋上風車発電システム」だった。現在、ＥＳＧ（環境・社会・企業統治）投資先として世界で注目を浴びる分野だ。この洋上風車発電システムに関して、ナブテスコ自身の特許分析はもちろん、顧客である風力発電事業者が運営する発電・送電システム、さらに洋上風車の運搬装置や保守点検などのサービス技術を含めた「洋上風力発電システム全体の市場」を対象として、構成要素ごとに日米欧中韓の5カ国における十数万件の出願特許すべてを調査した。その上で、洋上風力発電市場における「顧客」「顧客ニーズ」「技術課題」「メーカー」などを分析して、ナブテスコとして新規事業に取り組む場合の参入分野の可能性や妥当性を検証した。

探索の例としては、洋上風力発電システムではＩＴによる状況監視や人工知能（ＡＩ）による故障検知が今後の顧客のニーズと想定された。これらのニーズを実現するため、ナブテスコがどんな関連技術や知財をもち、それをどのように活用できるかを分析するため、パテントマップと呼ばれる模式図を作成した。マップを見渡しつつ、自社の技術・知財を生かせる製品や市場、用途を検索し、新製品、新サービス、新事業を提案した。

さらに成長著しい欧州の洋上風車メーカーのＭ＆Ａを分析し、欧州メーカーの知財力の変化が市場にどんな影響を与えそうかＩＰランドスケープを使って分析し、自社の開発テーマを提案した。菊地氏率いるナブテスコ知財部門はこの一連の分析・提案を、すべての経営陣やカンパニー社長が参加するグループ開発会議で発表したのである。ここまでやると社長をはじめとする経営陣も、知財部門が自社の経営判断を支える戦略部門としての潜在力を備えていると認識せざるをえなかった。当時の小谷和朗社長は「こんな（に気づきの多い）社内発表は初めてだ！」と知財部門を絶賛した。

知財部門は多くのカンパニー社長から「（洋上風車発電システムだけでなく）我がカンパニーの製品に関しても同様のＩＰランドスケープを実施し、顧客ニーズや新事業テーマを探ってほしい」と要請された。菊地氏はこの要請に応え、各カンパニーの主力製品に対するＩＰランドスケープを実施し、各カンパニー社長に報告した。菊地氏は一連のＩＰランドスケープで、知財部門に対する社内での評価と期待を一気に高めたのだった。

オバロ社の知財力をM&A前に明らかに

次に菊地氏は、知財部門が恒常的に全社の経営判断に関与できる仕組みづくりに乗り出した。2015年、同社は年に1～2回の全社「知財戦略審議」と、3カ月に1回の「知的財産強化委員会」を創設した。知財戦略審議には社長以下の全役員、カンパニー社長らの幹部が勢ぞろいし、知財強化委員会には各事業の部長らが集まり、知財情報を全社横断的に共有することとした。

両会議で議長を務めるのが、菊地氏だった。両会議の成果を現場に行き届かせる定期的な各カンパニー「知財戦略審議」も創設した。ついにナブテスコでは、知財部門長が知財を生かす経営会議の推進役に就き、経営陣を含めた全社にIPランドスケープによる客観的な分析を落とし込む体制を作り上げたのだ。経営陣と知財部門が遠く離れてしまっている日本企業においては、画期的な知財重視経営の実現といえる。

その効果は2017年3月、ナブテスコがドイツの自動車部品メーカー、オバロ社を約100億円で買収した際に発揮された。このM&Aの狙いは、モーターと制御装置の一体製品開発能力を獲得することにあった。M&Aの作業は、経営陣と技術本部の限られたメンバーで秘密裏に進めていた。知財部もそのメンバーとして複数の買収候補先の知財力、すなわちどんな技術や特許を保有し、その有効期限やどんな分野で強みを持つのかを、IPランドスケープを使って詳しく調べていた。ナブテスコが保有する知財と併せて、Ｍ＆Ａにどんなシナジー（相乗）効果が期待できるのかも詳しく調べていた。

その結果、オバロ社の知財力は、ナブテスコの弱点であるモーターとソフトウエア設計の両分野を補うばかりでなく、ナブテスコが新規事業として検討していた自動運転分野への進出にも役立つことが判明した。ＩＰランドスケープによって、知財力の観点からオバロ社の買収は理にかなっていることが確認でき、ナブテスコの経営陣はオバロ社の買収を決定した。

ナブテスコの知財部は、買収候補先の名前をＭ＆Ａの２年前に経営陣から知らされ、ＩＰランドスケープによる調査を命じられていたのだ。これは以前の社内地位の低い知財部では考えられないことだった。菊地氏の行動によって知財部に対する社内の期待と役割、信頼が高まっていたからこそ、決定までは社内でも限られたメンバーしか知らされなかった買収候補先を明かされ、ＩＰランドスケープに取り組むことができたのだった。

読者の中には、「Ｍ＆Ａに先立って買収候補先の知財力を調べるなんて、当たり前ではないか」と感じる方もいるかもしれない。ところが２０１５年当時の日本企業において、当たり前ではなかった。いや、現在でも特許出願に積極的な企業を対象にした調査でさえ、ＩＰランドスケープの実施企業が１割程度にとどまることから考えると、ほとんどの日本企業はＭ＆Ａの前に買収先の知財の状況を分析していないと考えられる。

会社のＭ＆Ａチームには経営陣、経営企画、財務、法務、該当の事業部門などは含まれるが、知財部門は含まれないことが多い。一般に知財部門がＭ＆Ａの相手を知らされるのは買収の決定後であり、慌てて相手の知財の状況を調べたら他社の知財を侵害していたり、自社とのシナジーが乏しいことが判明したりすることも珍しいことではない。これでは日本企業が実施したM＆Aの多くが失敗であると指摘されるのも当然だろう。

ナブテスコの株価は、菊地氏が同社を退職した2020年12月末の段階で約4500円となっており、同氏の入社前の2012年秋時点と比べて約3培の水準だ。特にオバロ社買収を発表した2017年の後半以降から2021年前半まで、株価が4500円から5000円という過去最高水準で推移したことを考えると、IPランドスケープを生かしたナブテスコの知財重視の経営が、投資家からも高く評価されていることがうかがわれる。このナブテスコのような事例が、まさに著者（渋谷）の思い描く「知財ガバナンス」の成功事例といえるのだ。

第2章

知財ガバナンス、そして知財安全保障

BEST MANAGEMENT LEVERAGING INTELLECTUAL PROPERTY

裾野は広がったが経営陣の関心は今ひとつ

日本企業にも広がったが……

著者（渋谷）は、ナブテスコのIPランドスケープを中核とする知財重視の経営を取材し、強く感銘を受けたため、2017年7月17日付の日本経済新聞朝刊に「知財分析、経営の中枢に『IPランドスケープ』注目集まる」と題した記事を掲載した（図表24）。

この記事はIPランドスケープという言葉を、日本の大手メディアとして初めて取り上げたものだと、後に知財関係者の方々から評価していただいた。そして実際、いくつかの日本企業の先見性ある経営者や知財部門には影響を与えたようである。例えば、現在では日本を代表するIPランドスケープ実践企業と知られる旭化成の場合、この記事が掲載されたことがきっかけとなり、IPランドスケープに全社的に取り組むようになったという。

ブリヂストンも2018年ごろから経営陣を含む全社規模でIPランドスケープに取り組むようになった。3カ月に1回程度、全経営陣の前でIPランドスケープを披露するようにな

図表24　IPランドスケープを紹介した記事

知財分析 経営の中枢に

「IPランドスケープ」注目集まる
M&A戦略に生かす

企業が抱える知的財産を分析し、経営戦略に生かす「IPランドスケープ」と呼ばれる手法が注目され始めた。これまでも研究開発や製品差別化を支援する「特許調査」は多く使われてきたが、IPランドスケープは生き残りをかけた経営判断やM&A（合併・買収）に貢献する。先進企業の取り組みを追った。（編集委員　渋谷高弘）

ナブテスコは3月、ドイツの自動車部品メーカー、オバロ社の全株式を約100億円で取得した。狙いはモーターと制御装置の一体製品開発能力を獲得すること。ナブテスコは今回の買収を「知財部を含む技術本部が主導して実現した初めてのM&A」と胸を張る。

M&Aの作業は同社経営陣と技術本部などの限られたメンバーで進められた。知財部は2年前から、買収先の知財力を詳細に分析するIPランドスケープに取り組んだ。その結果、ナブテスコの弱点であるモーターとソフトウエア設計の両分野を補うばかりか、進出を検討している自動運転分野にも役立つことが分かり、買収が決まった。

「日本の自動車メーカーにとって米グーグルが最大の脅威だ」。2015年春、三井物産戦略研究所の知的財産室室長の山内明氏は自動運転技術についてこんな“予言”をした。今では誰の目にも明らかだが、山内氏は門外漢ながら2年以上も前に見通し、講演などを通じて自動車業界に警鐘を鳴らした。

特許の量・質を見極め 将来の市場動向を提言

同氏は三井物産がM&Aやベンチャー出資を検討する際、相手の知財を分析して成功に導く役割を担う知財コンサルタント。自動運転の知財分析に用いた独自のIPランドスケープ手法は、三井物産や顧客のM&Aに反映されているという。

ではIPランドスケープによる深掘り分析は、具体的にどう進むのか。

山内氏はまず世界中の自動運転車の特許の「量」を調べた。当時、特許件数ではトヨタ自動車が1位、ホンダが2位で一見、日本勢の存在感が大きかった。しかし完全自動運転の普及時期となる30年以降も有効な特許に絞ったところ、3位のグーグルが圧倒的1位であることが判明した。

山内氏は自動運転車の特許の「質」も解析。グーグルは自動運転車の目であるセンサーを当初から自前で開発し、強みのデジタル地図を生かした安価な認知システムを構築していた。「普及のカギとなる低コスト化でも優位」と判断した。

グーグルでの上位発明者のほとんどが自動運転車や人工知能（AI）の研究で有名な米カーネギーメロン大学とスタンフォード大学の出身であることや、著名研究者が含まれることも突き止め、「質的にもグーグルの優位は明らか」とした。

知財についての同じような研究は、トヨタなども進めていた可能性が高い。三井物産戦略研の山内氏の“予言”から半年後の15年11月。トヨタは米シリコンバレーにAI研究所を設立すると発表した。何らかのIPランドスケープを実施し、自動運転車開発でグーグルへの対抗策を探っていたことがうかがえる。

IPランドスケープを用いる経営判断は、早い段階で進めてこそ効果を発揮する。日本企業のM&Aは外部からの売り込みや事業部主導で動き出すことが多く、知財部門が情報を知るのは買収が事実上決まってから。これでは、先方の知財力を判断に反映しづらい。

IPランドスケープを全社に落とし込む仕掛けづくりも欠かせない。ナブテスコの場合、年1～2回の「知財戦略会議」に社長以下の全役員らが勢ぞろいする。3カ月に1回の「知的財産経営委員会」には各事業の部長らが集まり、知財情報を横断的に共有する。

▼IPランドスケープ（Intellectual Property Landscape＝知財に関する環境と見通し）　近年、急速に欧米企業が使い始めた知財分析の手法と、同手法を生かした知財重視の経営戦略のこと。

具体的には、知財部門が①経営陣のニーズを早い段階でつかむ②特許だけでなく競合企業や関連業界などのマーケティング情報を駆使した戦略報告書を作成③経営陣に提案、全社戦略に反映――というサイクルを繰り返す。目的は「自社の戦略、事業を成功に導く」ことにある。

これに対し、知財部門が実施している特許調査は「自社の製品やサービスが他社特許に抵触しないか」を調べるもので、目的は主に「事業の失敗を防ぐ」ことにある。

一見、当たり前のようだが、実は珍しい。日本企業では知財部門が主体的に社長や役員に戦略的な提言をしたり、横串の組織を統括したりするのはまれとされるためだ。

分析に使うデータは主に公開情報だから、入手は難しくない。カギは、自社が直面する危機や商機に大胆な仮説を立て、それを検証しながら将来予測まで導ける人材を知財部門が備えることだ。分析結果を「分かりやすく」「タイムリー」に経営者に提案する仕組みと度胸も不可欠になる。

IPランドスケープの活用は10年以降、欧米の先進企業で広がっている。「米IBMや独BASFなど欧米のIT（情報技術）や医薬、化学企業などが実質的に取り入れている。日本企業の導入は遅れているようだ」と山内氏はみる。彼我の知財戦略の巧拙を左右している可能性もある。

知財部門の底上げ必要

日本は2003年ごろから政府が「知財立国」を掲げ、知的財産戦略の強化を図ってきた。にもかかわらず企業の知財部門の社内での地位は高くない。事業部門や財務部門のトップが必ず役員になるのに比べ、知財部門トップの役員は日本企業で数えるほどしかない。

知財部門はかつて「特許ムラ」と呼ばれたように専門的な組織だった。いわば「社内特許事務所」であり、研究部門が提案してきた特許を出願し、特許の「量」を増やすことが仕事だった。結果として製品や事業に貢献することはあったとしても、早期から経営戦略にかかわることは期待されていなかった。

（出所）日本経済新聞朝刊2017年7月17日付　11面

り、自動車関連業界の競合他社がどんな動きをしているかなどを分かりやすく解説するようになった。同社の荒木充知的財産本部長（現・知的財産部門部門長）は「技術者や知財部門しか分からない用語や複雑な図ではなく、業界や他社の動きを盛り込み、経営陣に関心をもってもらえるように工夫することが大切だ」と当時の取材に語ってくれた。日本でも少しずつＩＰランドスケープが普及するものと期待された。

２０１８年ごろからは著者（渋谷）自身にも、大手企業からＩＰランドスケープの意義や進め方について社員向けに講演をしてほしいという依頼が届くようになった。依頼してくるのは各社の知財部門が多く、例えば精密機器大手や大手化学メーカーから知財部門の社内研修の一環として講演を依頼された。ＩＰランドスケープで知財部門の活性化や社内的な地位の向上を目指そうという動きだったと思われ、もちろん喜んで協力させていただいた。

講演に行ってみると、さすが大企業であり、２００人は超えようかという人々が大会議室に詰めかけている。著者の講演を聴いて皆、真剣にメモをとってくれる。講演後の質問なども活発だった。うれしくなって講演を依頼してくれた知財部門の方に「今日の講演に経営陣の方は来ていますか」と聞いてみた。すると、「いや、知財部門の人間ばかりです。経営陣にも声をかけましたが、残念ながら参加してもらえませんでした……」との答えだった。

ここで著者は気が付いた。確かにＩＰランドスケープの重要性を指摘する記事を日経新聞に掲載したことで、先見性のある一部の経営トップは自ら知財部門に問い合わせ、全社的なＩＰランドスケープに進んだ例もあった。しかし、それは大企業、上場企業の中ではごく一部の例外的な事例であり、ほとんどの企業でＩＰランドスケープに注目していたのは、やはり知財部門の方々ばかりだったのだ。

「同志」と共に重要性をアピール

知財部門の人々はＩＰランドスケープに取り組むことが自身の地位向上のチャンスだと認識していた。しかし、これまでの低い社内地位が災いして、なかなか経営陣にＩＰランドスケープを披露する機会が得られなかったり、せっかく披露しても内容が分かりにくかったために経営陣からコテンパンに叱られたりして、逆に意気消沈してしまった例もあるようだった。

この時期、著者がＩＰランドスケープ普及の講演に出かけるときには、「同志」を伴うようになっていた。一回り年長であるので同志と紹介するのは少し気が引けるが、それは先述したナブテスコの知的財産部長（当時）、菊地修氏だった。ナブテスコは間違いなく日本で最先端の知財経営企業で、そうではなかった時期に部門トップに就任し、エネルギッシュに改革を主導した菊地氏こそ、ＩＰランドスケープ導入を目指す企業に意識付けと実践的なノウハウを提供できる最適任者と思ったからだった。

しかし元来、おとなしい人物が多いとされる知財部門では菊地氏のような情熱的なキャラクターは異質で、同じように行動できる知財部門は少なかった。当時、地方に出張して講演を終えた後、菊地氏と「やっぱり日本の会社は知財部門の地位が低い。知財部門発の改革、ＩＰランドスケープの普及は難しいかもしれない」などとグチをこぼし合ったこともあった。

コーポレートガバナンス・コードに盛り込む

そんな中で、やはりIPランドスケープの普及をテーマにした、ある講演会に菊地氏と共に臨んだことがあった。確か2019年の5月ごろだったと記憶している。その講演会への出席者は100人ほどだったと記憶しているが、聴衆は知財部門の人々ではなく、上場企業の社外取締役を中心とした方々だった。大企業で功成り名を遂げた元経営者、公認会計士や弁護士、経営コンサルタントなどが多くを占めていたと思う。

講演会では著者（渋谷）と菊地氏が、それぞれの立場で日本企業の「失われた30年」からの脱却の必要性や、IPランドスケープを生かした経営改革の重要性を説明した。そして著者からは経営陣と知財部門の双方の覚醒が必要だが、経営陣は知財に関心が薄く、知財部門は社内的な地位が低いために、両者の距離を縮めるIPランドスケープの普及は必ずしもうまくいっていない、と申し上げた。

講演が終わってからの質疑応答の中で一人の聴衆の方が手を上げ、こう話した。「今、講師2人の話を伺っていて、知財を生かした経営の重要性が分かった。しかしながら、確かに日本の経営者は一般的に知財への関心が高いとはいえないし、自然にそうした認識が高まっていくとも思えない。ところで今、最も上場企業の経営者たちにとって影響力のあるルールといえば、それはコーポレートガバナンス・コードである。ならば、この知財を重視しろという経営者へのメッセージも、ガバナンス・コードに盛り込んでしまえばよいと考えるが、どうですか?」と。その瞬間、著者の体には電流のような衝撃が走ったのだった。

確かにその通りだった。著者はこの講演をした２０１９年の段階で、知財分野への取材経験が約20年間あったと同時に、コンプライアンス（法令順守）やコーポレートガバナンス（企業統治）といった企業法務分野の取材経験も10年以上積んでいた。小泉政権での知財立国宣言から20年たっても日本企業の知財改革は進まなかったのに対して、少し早く（１９９０年代半ばくらい）から始まっていたガバナンス改革の方は、同じく約20年間の停滞を経て、２０１５年ごろから急速に進展をみせつつあった。

具体的には上場会社が複数の社外取締役を起用したり、「報酬」「監査」などの委員会を取締役会に設けたりすることが定着しつつあった。このガバナンス分野の改革に弾みをつけたのは、金融庁と東京証券取引所が２０１５年に策定したコーポレートガバナンス・コードの威力であることは、明白だった。知財、ガバナンスの両分野を取材していた著者には、この聴衆の方の指摘は、天からの啓示だったようにも思う。この時、その方のご尊名を確認しなかったことが悔やまれる。

この運命の講演の後、著者は、知財活用の重要性をガバナンス・コードに盛り込むことを考え始めた。具体的には、コードの策定を担当する金融庁や東京証券取引所に働きかける必要があった。幸いにも筆者は、日経新聞の証券部に所属していた時期に企業の開示をテーマに取材した経験があり、金融庁や東証の関係者にも足がかりがあった。

そこで2019年の秋ごろから複数にわたり、コード改訂にかかわる関係者に接触し、IPランドスケープなどを使って知財を活用する経営がいかに重要か、現状の日本企業は十分な知財活用ができていないか、について説明した。日本の経営者は知財への意識が乏しく、知財部門との距離も離れてしまっているため、日本企業に知財活用経営を促すには、コードにその旨を盛り込むことがどうしても必要であることなどを訴えた。

ESG投資と結びつける

その過程を詳しく振り返ることはしないが、著者（渋谷）が強く意識したことがあった。知財をガバナンス・コードに盛り込む「必然性」だ。知財は競争力を高めるため企業にとって重要だ。ただ、企業とステークホルダーとの関係を定義するコードに記述するには、知財がステークホルダーの立場からも、大事なテーマだとする理屈が必要だ。そこで著者は、知財を世界的な潮流であるESG（環境・社会・ガバナンス）投資と結びつけることを考えた。

特に日本企業は脱炭素・環境関連分野で世界に先駆けて研究開発に取り組み、多数の知財を蓄積している。投資家もESG分野の日本企業の知財に関心を寄せている。そこで著者は金融庁に「ガバナンス・コードによって脱炭素関連など日本企業の知財の状況を投資家に開示することを促せば、世界からESGマネーを引き寄せることに役立つ」と提案した。この発想の転換により、知財に関する内容がコードに入り得たと考えている。

このチャレンジの過程では素晴らしい出会いがあり、多くの人々から貴重な協力を得られた。そして挑戦は足かけ3年の2021年春に結実した。ここでは、お世話になった方の一部を紹介することで、感謝の気持ちを伝えたい。IPランドスケープ普及の同志である元ナブテスコ知財部長の菊地修氏、共にコード改訂のために動いてくれた金沢工業大学大学院の杉光一成教授、コード改訂の有識者会議のメンバーの方々、同メンバーへの働きかけを行ってくれた内閣府知的財産戦略推進事務局の方々、そしてコード策定の黒子として様々なアドバイスをくれた金融庁の方々である。ここに記しきれない多くの方々の協力があったからこそ、企業に知財活用を促すコード改訂が世界に先駆けて実現したことを記録としてとどめておきたい。

コードに「知財ガバナンス」を盛り込む

改訂されたコードの内容

２０２１年６月11日、金融庁と東京証券取引所が改訂した新たなコーポレートガバナンス・コードが公表された。そして知的財産に関しては、次のような内容が盛り込まれた。まずコードの第３章「適切な情報開示と透明性の確保」の中に、「上場会社は、経営戦略の開示に当たって、（略）人的資本や知的財産への投資などについても、自社の経営戦略・経営課題との整合性を意識しつつ分かりやすく具体的に情報を開示・提供すべきである」（補充原則３－１③）と示された。

このことで上場会社は、自社の知財への投資を経営や課題の中にきちんと位置づけ、対外的に情報開示することが求められることになった。これまでのように「昨年は特許を○件出願しました」といった、ぼんやりとした開示では済まされない。機関投資家などから「取締役会や経営陣は知財戦略をどのように考えているのか」といった質問が増えることが予想される。会社の知財戦略の巧拙を投資家などが判断できるよう分かりやすく説明するには、前述してきたＩＰランドスケープの導入が必須になる。この点が重要なポイントだ。

２つめはコードの第４章「取締役会等の責務」の中に盛り込まれた以下の条項だ。「取締役会は、（略）人的資本・知的財産への投資等の重要性に鑑み、これらをはじめとする経営資源の配分や、事業ポートフォリオに関する戦略の実行が、企業の持続的な成長に資するよう、実効的に監督を行うべきである」（補充原則４－２②）と示された。この条項は、日本の知財の位置づけにとって、画期的に重要な規定といえる。

なぜならこの条項によって、日本の上場会社の取締役会は知財戦略に責任をもつことが明確になったからだ。これまで多くの日本企業では、経営者は特許や商標の取得には熱心だとしても、「守りのクローズな知財戦略」を前提としていたため、知財を事業戦略や経営戦略を結びつけて考えることは稀だった。知財の取得や戦略は知財部門に丸投げしているのが普通だった。経営不振と知財戦略の不備が結びつくことがなく、知財を生かせていなかったとしても、経営陣や知財部門の責任が明確に追及されることもなかった。

今後はコードの要請に従って取締役会が会社の知財戦略を長期視点で監督することになる。社長ら経営執行側、そして知財部門は、企業の持続的な発展に寄与する知財戦略を立案し、実施することが求められる。経営執行側はそれを分かりやすく取締役会に参加する社外取締役らに説明しなければならない。つまり社内的にも、現状の把握と分析のためＩＰランドスケープを使いこなすことが必要になるのだ。

知財活用「やってる」開示の横行

２０２１年6月に改訂されたコーポレートガバナンス・コードに初めて知的財産に関する規定が盛り込まれたことは画期的だった。上場会社が初めて、知財の活用や投資の状況を開示することが求められるようになったからだ。しかし実態はどうだったのか。コード改訂後に公表された調査からは、上場会社が「（コードが要請する知財への取り組みを）やっている」と開示で表明しながら、実態が伴わないケースも多いことが分かった。

すでに述べたように改訂コードには、知財に関して「上場会社は人的資本や知的財産への投資などについて、分かりやすく具体的に開示・提供すべきである」（補充原則3－1③）と、「上場会社の取締役会は知財の投資や活用などについて、企業の持続的な成長に資するよう監督すべきである」（補充原則4－2②）の2項目が盛り込まれた。

実はコードを改訂した政府当局者は、その時点で上記2つを着実に実行できている上場企業は極めて少ないだろうとよく分かっていた。つまり改訂コードに2つの項目が盛り込まれた背景としては、「開示に際して、知財の活用や投資が不足していることを上場企業自身に自覚してもらい、改善に着手してもらう」ことが大きな狙いだったのだ。

そして上記のコード改訂後、企業に知財活用を促す立場にあった内閣府知的財産戦略推進事務局にはある懸念があった。それは上場会社が、改定コードに関する開示をする最初の機会、

２０２1年末に東証に提出するコーポレートガバナンス報告書で、２項目について「実施（comply＝コンプライ）」と書くだけで済ませ、具体的な内容は開示しない、という行動に走ってしまうことだった。いわば安易に「やってる」とガバナンス報告書で表明する企業が相次ぐのではないかと心配したのだった。

そこで内閣府知財事務局と経済産業省が共同で設けた「知財投資・活用戦略の有効な開示及びガバナンスに関する検討会」は２０２1年9月、上場会社に対して、ある「布告」を出したのだ。各社がガバナンス報告書を東証に提出する際には、コードの各項目について自社が「コンプライ（準拠）＝実施」したのか、「（不実施なので）エクスプレイン＝説明）」するのかを選ぶのだが、その際の注意を企業に呼びかけたのだ。

政府の布告は、「（コンプライ、エクスプレインどちらを選ぶのかは）各企業の判断であることはいうまでもない」としつつも、「本格的な知財・無形資産の開示などに至っていないにもかかわらず『コンプライ』と判断すれば、投資家からは不誠実な姿勢とみなされる」と企業にクギを刺した。そして「かえってネガティブな評価につながる可能性が高く、本年（２０２1年）末の時点で多くの上場会社が実態の伴わないまま『コンプライ』と判断するような状況は、今後の（官民の）取り組みの趣旨に照らして、好ましいものではないことに留意すべきである」と企業が安易にコンプライしないように呼びかけた。

伴わない実態

その結果はどうだっただろうか。

結果を明らかにしたのが、内閣府関係者から依頼を受けた任意団体、知財ガバナンス研究会（幹事会社・ＨＲガバナンス・リーダーズ）が２０２２年６月29日に公表した「ＣＧＣ（コーポレートガバナンス・コード）改訂後の『知財・無形資産』情報開示　最新状況調査」と題するリポートだ。これをまとめたのは、ガバナンス・コード改訂の際に著者（渋谷）の「同志」であったＨＲガバナンス・リーダーズの菊地修フェローと、高野誠司弁理士だ。

同リポートは２０２２年３月から４月にかけて、ＪＰＸ日経インデックス４００構成銘柄（調査時点で３９７社）が公表したガバナンス報告書を対象に、前述の2項目、「上場会社は人的資本や知的財産への投資などについて、分かりやすく具体的に開示・提供すべきである」（補充原則３－１③）と、「上場会社の取締役会は知財の投資や活用などについて、企業の持続的な成長に資するよう監督すべきである」（補充原則４－２②）に関する記述を調べた。

結果は、やはり憂慮したような状況となっていた。

2項目に「コンプライ（準拠）＝実施」と回答した企業は、補充原則３－１③については87％（３４６社）、補充原則４－２②については94％（３７２社）に達していた。2項目について、それぞれ約９割の企業が「やってる」と表明したことになる（図表25）。

図表25　知財・無形資産の情報開示状況①

2つの項目を「実施」と表明した企業は約9割に達するが……	
補充原則3-1③の実施状況	
実施	不実施
87%（346社）	13%（51社）
補充原則4-2②の実施状況	
実施	不実施
94%（372社）	6%（25社）

（出所）「JPX400のコーポレートガバナンス報告書における知財・無形資産ガバナンスの開示内容の調査報告書」（知財ガバナンス研究会）

次にリポートは回答企業の実際の記載を「○」「△」「×」の３種類で判定した。

補充原則３－１③については、「知財・無形資産の投資など戦略、または知財活動（特許出願など）について、実体的な取り組みが具体的に記載されている」を○、「知財・無形資産に関する記載はあるが、具体的な取り組み内容に関する記載がない」を△、「知財・無形資産に関する記載がない」を×と判定した。

補充原則３－１③について「コンプライ＝実施」と表明した３４６社のうち、知財・無形資産の投資・活用など具体的な情報開示があった○は56％（１９３社）にとどまり、13％（46社）が△、31％（１０７社）が×だった。同リポートは「コンプライしながら、情報開示が不十分、または具体的な活動をしていない会社が44％存在し、31％は知財の投資などに関する記載がない」と指摘している。

補充原則４－２②については「取締役会で、知財・無形資産の投資などに関して監督していることの記載がある」を○、「取締役会でなくとも、執行部門において、知財戦略会議の設置など、知財活動に関する推進体制の記載がある」を△、そして「知財・無形資産に関する活動体制などの記載がない」を×とした。

補充原則４－２②について「コンプライ＝実施」と表明した３７２社のうち、取締役会での知財投資の監督に関する記載があった○は３％（11社）にとどまり、△もわずか１％（５社）で、実に96％（３５６社）が×という結果に終わったのだった（図表26）。ただ補充原則４－２②は、改定コードにおいて「開示すべきとする原則（開示原則）」とはされていないため、多くの企業が開示していないという事情は考えられる。

進まない非製造業での開示

同リポートは「東証は開示原則以外の原則についても積極的に開示することを推奨しており、今後、多くの企業が開示することが期待される」と指摘した。本件について、業種や企業価値などによる傾向の違いはあるのだろうか。それも同リポートは、母数の多い補充原則３－１③に関する状況について分析した。

補充原則３－１③について「実施」とした３４６社の回答を業種別にみると、○判定が80％を超えたのは電気・ガス、医薬品、化学だった。一方、同じく×判定が50％を超えたのは、

図表26　知財・無形資産の情報開示状況②

２つの項目を「実施」とする企業でも具体的な開示のないケースが多い		
補充原則3-1③		
○	△	×
56%	13%	31%
補充原則4-2②		
○	△	×
3%	1%	96%

（出所）「JPX400のコーポレートガバナンス報告書における知財・無形資産ガバナンスの開示内容の調査報告書」（知財ガバナンス研究会）

サービス業、銀行業、小売業、卸売業だった。同リポートは「非製造業はコンプライしていても、知財・無形資産の投資・活用の情報開示が芳しくない傾向にある」と指摘している。

時価総額別に分析すると、時価総額１兆円以上の企業は○が61％あったが、２０００億円以上１兆円未満だと56％、２０００億円未満だと42％にとどまった。同リポートは「時価総額と知財投資などに関する情報開示には正の相関関係がみられる」としている。同様に売上高研究開発費率が高い企業は○が多い傾向がみられた。

営業利益率別では、有意義な関連性は確認できなかった。意外なことに、ＲＯＥ（自己資本利益率）が高い（15％以上）企業には×が多い傾向がみられた。サンプルの多い上位５業種で分析したところ、製造業（化学・電気機器）ではＲＯＥ15％以上の企業は開示も比較的良好だったが、非製造業（情報・通信、小売り、サービス）ではＲ

ＯＥ15％以上の企業の開示が芳しくないという結果が出た。

この調査結果をみると、有力な非製造業の多くには「知財・無形資産（の活用や開示）は、製造業（だけ）が考えるべき問題だ」との認識があると推測される。しかし知財・無形資産は、特許などの知財権だけでなく、ブランドやノウハウ、バリューチェーン、顧客ネットワークなどへの取り組みも含んだ広い概念だ。このことを、非製造業を含めた日本企業すべてが自覚し、その活用・開示を粘り強く求めることが重要だと思う。

「知財・無形資産 経営者フォーラム」の誕生

知財で勝利するために

第1部、第2部で述べたように欧米企業が知財やデータ、国際標準ルールを武器としたビジネスモデルを考案したのは新たな「勝利の方程式」だったし、中国や韓国の企業が日本の技術や知財を模倣したのも彼らなりの「勝利の方程式」だった。一方、今の日本企業の主流は、次の「勝利の方程式」を描けていない。まさに日本は知財戦略で敗れ、「知財立国」は名ばかりとなっているのが現状だ。

このような日本の現状を変えるために、2022年10月、ある組織が誕生した。知財や無形資産を経営に生かすため経営者らが集う「知財・無形資産 経営者フォーラム」だ。著者（渋谷）も、同フォーラムを立ち上げるための企画や準備を推進してきた。知財・無形資産 経営者フォーラムは、その名の通り、特許などの知財や無形資産を経営に生かそうと模索する経営者らが集い、中長期の成長を目指す組織だ。約30社の経営者、機関投資家、政府機関、有力大学の関係者らが集結した。改訂ガバナンス・コードが上場会社に知財活用を促したことに対応し、経営者同士や機関投資家を交えて問題意識や課題を共有し、各社の成長につなげることを目的とする。

知財で日本を元気にする

知財・無形資産 経営者フォーラムは2022年10月24日に発足し、オンライン形式で第1回会合を開いた。会長には旭化成の工藤幸四郎社長、副会長には古河電気工業の小林敬一社長（当時）、ナブテスコの木村和正社長、無形資産の問題に詳しい一橋大学の加賀谷哲之教授がそれぞれ就任した。みさき投資や農林中金全共連アセットマネジメント（東京・千代田）といっ

図表27　知財・無形資産フォーラム　第１回のようす

（注）2022年10月24日オンライン会議　フォーラム会長の工藤幸四郎氏

た機関投資家、内閣府知的財産戦略事務局や特許庁なども加わった。知財をテーマとした会合には、企業からは知的財産部門の担当者が参加するのが普通で、経営者が中心となるのは珍しいといえる。

フォーラム会長の工藤氏は「日本経済が持続的な成長を遂げていくために、気候変動や地政学リスクなどに対する環境・社会の構築が必要で、知財・無形資産によるイノベーションが欠かせない。しかし現状、知財・無形資産による付加価値の高い製品・サービスへの転換や市場の創出において、日本は欧米・新興国の競合の後じんを拝している」とあいさつした（図表27）。著者（渋谷）の抱く危機感を、工藤氏は共有していた。

さらに工藤氏は「本フォーラムは知財・無形資産を生かした価格決定力、ひいては利益率の向上に結びつけるビジネスモデルを生み出し、それを新たな知財・無形資産に投資するという好循環を生み出すことを目標とする。（参加する経営者らは）活発な意見交換を行い、活用マインドを醸成し、『知財で日本を元気にすること』を目指していきたい」と意欲を示したのだった。

次にフォーラム副会長に就任した小林敬一・古河電気工業社長は「日本企業が知財・無形資産を生かした経営に脱皮・実行するというフォーラムの設立趣旨に大いに賛同し参加した。従来の守りの知財に加えて、攻めの知財を進めることで、知財・無形資産をフル活用できる経済社会への変革を実現したい」とあいさつした。

小林氏が言う「守りの知財」とは、既存事業で他社の権利侵害に備えて特許や商標を獲得しておくという、従来の日本企業のやり方である。一方「攻めの知財」とは、自社のもつ特許やノウハウを生かして新しいサービスや事業を興したり、他社との提携やM&A（合併・買収）に生かしたりといった積極的な知財の活用を意味している。まさに本書が紹介してきた「攻めのオープンな知財戦略」の重要性を小林氏は指摘したのだ。

同じく副会長に就任した木村和正ナブテスコ社長は「昨年、（知財活用を盛り込んだ）ガバナンス・コードが改訂された。しかし各社の（知財に関する）活動レベルの差は大きく、改善すべき点が多い。フォーラムでの意見交換を通じ、機関投資家の皆様にも評価いただきながら、企業価値を高めていければと考えている」と述べた。

同じく副会長に就任した一橋大学の加賀谷哲之教授は「フォーラムの話を聞いたときわくわくした。高い問題意識をもっている経営者が集まり、知財で日本を元気にすることを実体化・

顕在化していくことを強く感じている」と話した。

ここで注目すべきは、フォーラムの会長・副会長に就任した上場企業トップ３人が、そろって日本企業は無形資産の活用が足りないという厳しい認識を示したことだ。日本の一般的な経営者は「サービス業だから特許や知財は関係ない」と無関心だったり、「他社と比べて特許の数が多いから大丈夫だ」などと単純に考えたりするケースもあり、そうした日本企業の甘い認識に、フォーラムに参加する経営者は強い警鐘を鳴らしたといえる。

IPランドスケープを経営戦略に生かす

続いて工藤氏が行った記念講演「旭化成グループの知財・無形資産経営の挑戦」には同社の問題意識がよく現れていた。２０２２年4月、工藤氏は旭化成社長に就任し、同社の新たな中期経営計画が始まった。そのキーワードは「スピード」「アセットライト」「高付加価値」の３つだという。このうち「アセットライト」とは、会社のアセット（＝資産）をどう軽くして利益を上げるか、という意味なのだそうだ。

工藤氏は「アセットライト」と「スピード」は表裏一体で、２つを追求することで「高付加価値」につながる、と説明した。「そのときにカギとなるのが無形資産の最大活用だ。人材、ＧＸ（グリーントランスフォーメーション）、ＤＸ（デジタルトランスフォーメーション）の真ん中に無形資産があるイメージだ」と言い切った。「無形資産を、会社の改革と効率的な成長のために使う」という明確なメッセージだといえる。

また旭化成は、同じ２０２２年４月に知財分析を経営戦略に生かす専門部隊「知財インテリジェンス室」を新設した。従来の同社の知的財産部は研究開発部門の傘下だったが、新しい知財インテリジェンス室は経営企画担当役員の直属とし、社長、経営企画部門のいる同じ階の中心に置いたのだ。具体的な組織運営としても、会社の頭脳の真ん中に「無形資産」を配するのだという覚悟が、工藤氏の話からは伝わった。

工藤氏は講演の最後で、本フォーラムに期待することとして「成長分野の投資競争は激化している。日本企業同士のバインディングによってスクラムを組み、日本国全体として果敢に挑戦していく必要があるのではないか。フォーラムを通した企業間連携で日本を元気にしていきたい」と、高い志も示したのだった。

工藤氏の講演を聞いて、副会長の小林氏から「経営層と知財部門のコミュニケーションで特に工夫して取り組んでいる点があれば」との質問が出た。工藤氏は「多角化している事業でどう強みを出すか悩んできた。（付加価値を）横につなぐ作業を誰がどう担うか。その中で（知財部が取り組んだ）知財分析を経営戦略に生かすＩＰランドスケープが登場し、経営層がタイムリーに活用したという流れだ」と答えた。

続いて副会長の木村氏が「（知財が事業に貢献していることを表現するために）使っている経営指標はあるか。当社も（知財価値の）見える化で悩んでいる」と質問した。工藤氏は「旭化成ではＥＢＩＴＤＡ（利払い・税引き・償却前利益）と特許価値に相関を見いだしたが、バラツキも大きい。他の指標も併せて複合化していく必要を感じている。勉強中だ」と応じた。

ほかにも経営者や機関投資家との間で活発な質疑が行われた。２０２２年10月の初回のフォーラムで知財・無形資産を巡る経営者同士のやり取りが展開されたのは、大きな収穫だったといえるだろう。経営者が知財・無形資産について意見交換する場面は、これまで日本ではほとんどなかったと思われるからだ。もちろん対話はまだ始まったばかり。今後フォーラムの内容を充実し、参加企業の価値向上につなげていかなければならないと強く感じている。

知財・無形資産開示は企業価値増加への道

時価総額の高い企業ほど情報開示に積極的

ＰＢＲ（株価純資産倍率）が1倍割れ（企業の収益性、成長性が市場から評価されていない状態）している上場企業に対して東京証券取引所が厳しく改善を求める姿勢を打ち出し、慌てている会社も多いと思われる。「我が社は業績も悪くないし、研究開発や営業努力もしているのになぜ」と思う企業人は、自社の「知財・無形資産への投資に関する開示は十分か」と自らに問いかけるべきだ。民間による興味深い報告が２０２３年3月、公表された。

その報告とは「東証プライム市場上場企業における知財・無形資産ガバナンスに関する対応状況調査・分析」だ。先に紹介した２００社超の企業などが参加する知財ガバナンス研究会（幹事・ＨＲガバナンス・リーダーズ菊地修フェロー）の知財コンサル等分科会がまとめ、同年3月24日に政府の有識者検討会に報告した内容である。

結論から言うと、この報告によって「時価総額の高い企業は知財・無形資産に関する情報開示にも積極的」であることが客観的なデータにより判明した。２０２1年6月改訂のコーポレートガバナンス・コードに「上場企業は知財に関する情報開示をすべき」と盛り込むことに関与した著者（渋谷）としても、「わが意を得たり」との感慨を抱くものだ。

改訂コードには上場会社への要請の一部として、補充原則３－１③「人財や知財への投資に関する情報を開示すること」と、補充原則４－２②「取締役会が人財や知財への投資を監督すること」が盛り込まれた。上場会社はこれら原則にコンプライ（準拠）するかエクスプレイン（説明）するかを決め、コーポレートガバナンス報告書や統合報告書などで理由や内容を開示することを求められる。

先述の報告が実施した調査・分析の概要は以下の通りだ。対象企業は東証プライム上場企業の時価総額上位９５０社。対象範囲はコーポレートガバナンス報告書や統合報告書、知財報告

図表28　東証プライム上場企業の開示状況

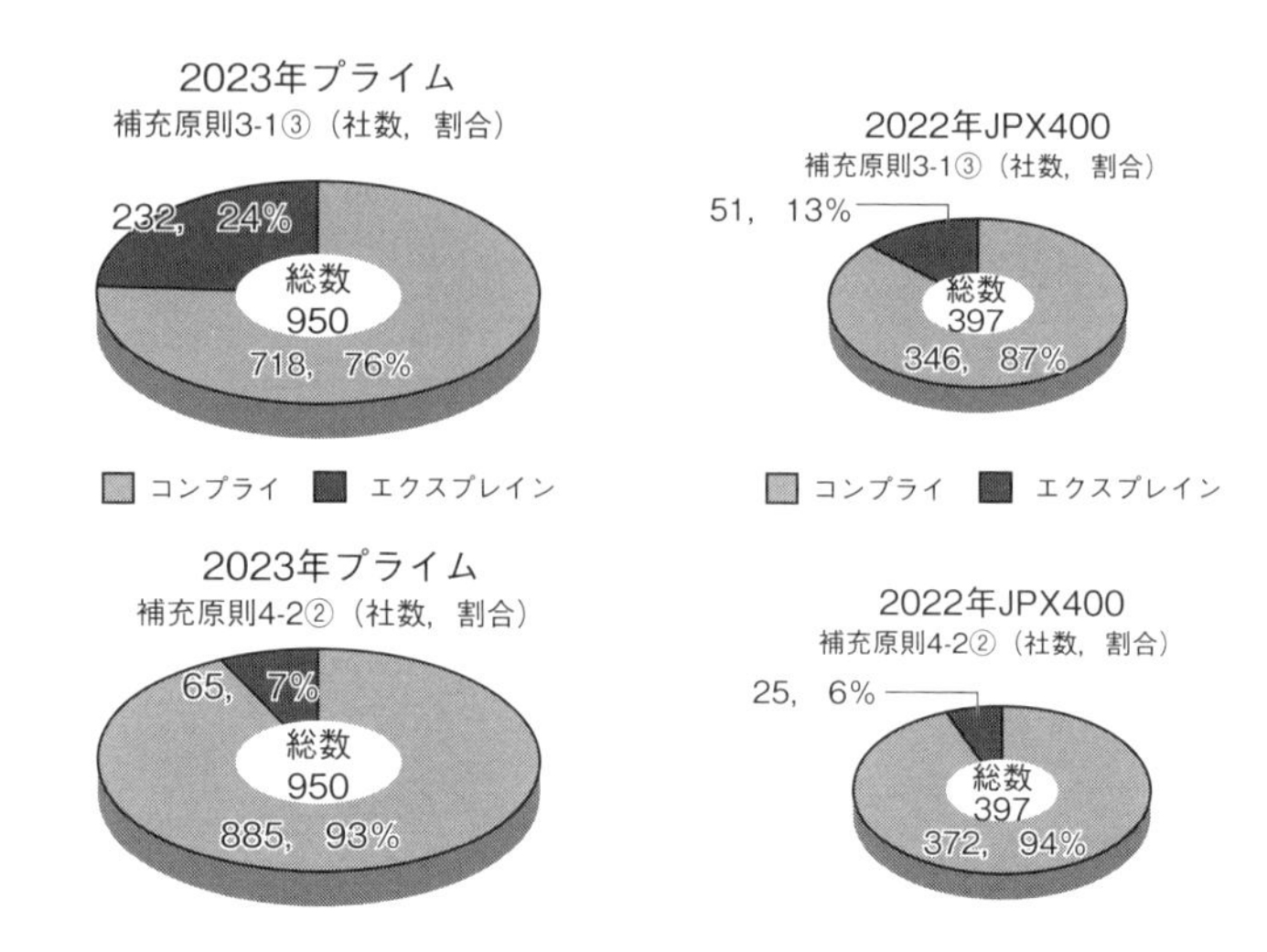

（出所）知財ガバナンス研究会　知財コンサル等分科会

書など各社の公開情報。調査期間は２０２２年11月～２０２３年１月で、時価総額やＰＢＲ、営業利益率などのデータは原則として22年10月の抽出数値に基づいている。

まず単純にコンプライの状況をみると、補充原則３－１③を76％が、補充原則４－２②を93％が、それぞれコンプライしていた。ちなみに同研究会が２０２２年４月に「ＪＰＸ日経インデックス４００」構成銘柄の３９７社を対象に実施した約９カ月前の調査（既述）では、それぞれ87％、94％だった（図表28）。時間が経過したのにどちらもコンプライが減ったのは、安易に「やってる」と開示するより、実態に即して説明する企業が増えたとも考えられる。

次に報告が実施したのは、各社の開示

内容の評価だ。その評価基準は補充原則３－１③については「◎…知財・無形資産の投資・活用戦略に対する実体的な取り組みを具体的に記載」「○…知財の権利化、リスク管理などを具体的に記載」「△…知財・無形資産に関する記載はあるが、具体的な取り組み内容の記載がない」「×…知財・無形資産に関する記載がない」の４種類とした。

補充原則４－２②についての評価基準は３種類で、「○…取締役会で、知財・無形資産の投資などに関して監督していることの記載がある」「△…取締役会ではないが、執行部門において知財戦略会議の設置など知財活動に関する推進体制の記載がある」「×…知財・無形資産に関する活動体制の記載がない」と定めた。

このようにして両補充原則にコンプライした企業の開示内容を調べた結果、憂慮すべき事実が判明した。まず補充原則３－１③にコンプライした718社のうち、知財・無形資産に関して具体的な記載のあった会社（つまり◎と○）は265社（コンプライ会社の37％）にとどまり、262社が（36％）が△。191社（27％）は×で、知財・無形資産に関する記載はなかった。

補充原則４－２②はより深刻だ。コンプライした会社は950社中の885社（93％）あったものの、取締役会において知財投資などを監督している「○」と評価できたのはわずか16社（コンプライ会社の２％）に過ぎず、836社（94％）では取締役会での監督に関する記載などはなかった。

うわべだけのコンプライ

つまり著者や政府や本件に詳しい有識者が懸念していた通り、改定コードに盛り込んだ両補充原則にコンプライと表明した企業の多くが、どうやら「やってる」ふりをしているだけという実態が浮かび上がってしまったのだ。これではコードの原則である「コンプライ・オア・エクスプレイン（実施するか説明する）」ではなく、「コンプライ＆ノーアクション」（実施と言いつつ何もしない）になってしまっていると言わざるを得ない。

とはいえ、この報告では知財ガバナンスにとって好ましいデータも確認することができた。それが先に述べた「時価総額の高い企業は知財・無形資産に関する情報開示にも積極的」との分析結果だ。この点は次の２つのグラフに沿って説明しよう。

図表29上のグラフは「コーポレートガバナンス（ＣＧ）報告書における知財・無形資産に関する情報開示の評価と時価総額との関係」、図表29下のグラフは「統合報告書における知財・無形資産に関する情報開示の評価と時価総額との関係」である。横軸は、時価総額の順位を50社単位で区切った企業群を示している。縦軸は、50社の企業群の知財・無形資産に関する情報開示への評価点である。先に説明した◎を４・５点、○を3点、△を1点、×を0点として集計した。

例えば、横軸１００の垂線上の点は「時価総額51位～１００位」の会社を集合した企業群の

図表29　CG報告書と統合報告書の評価

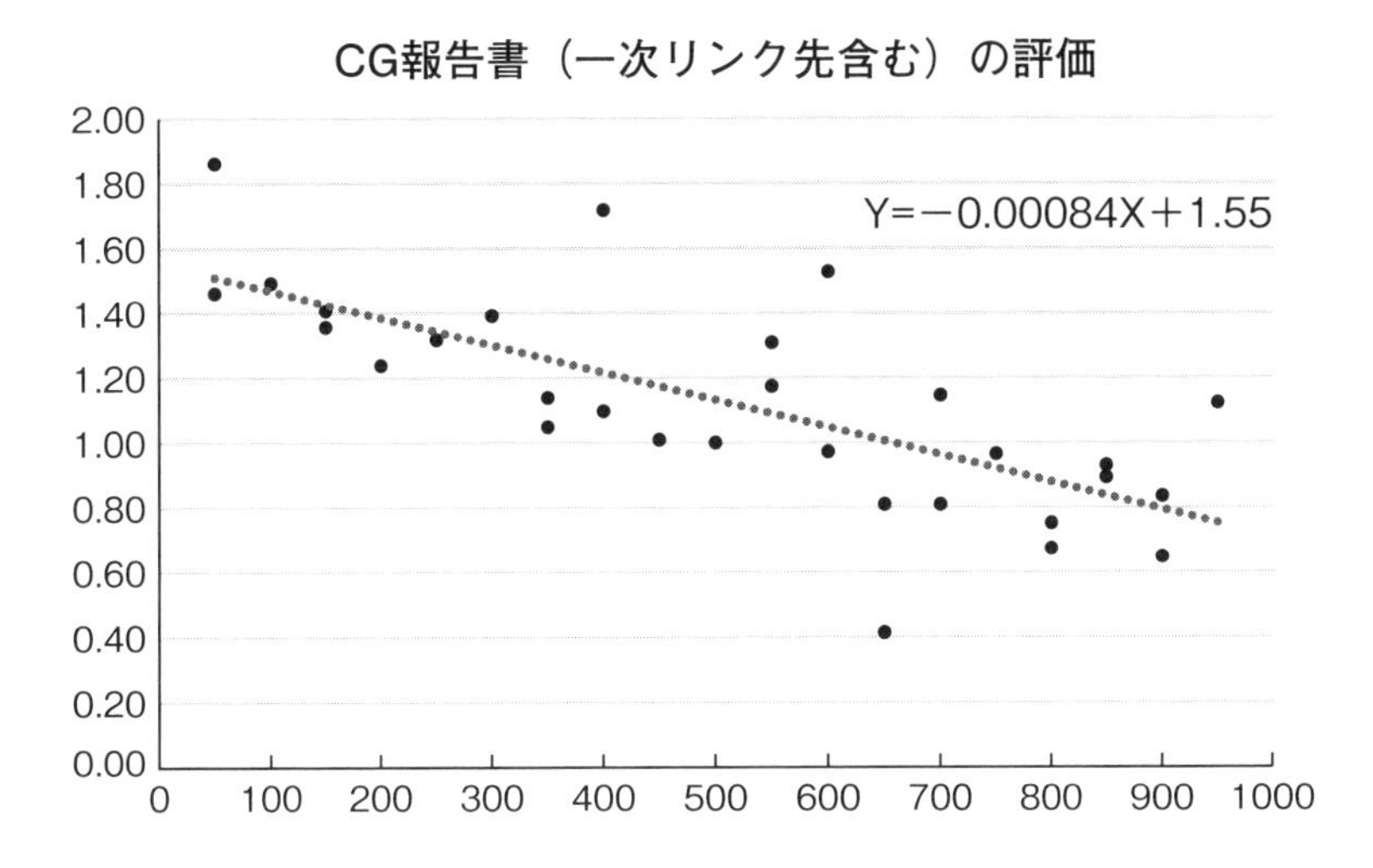

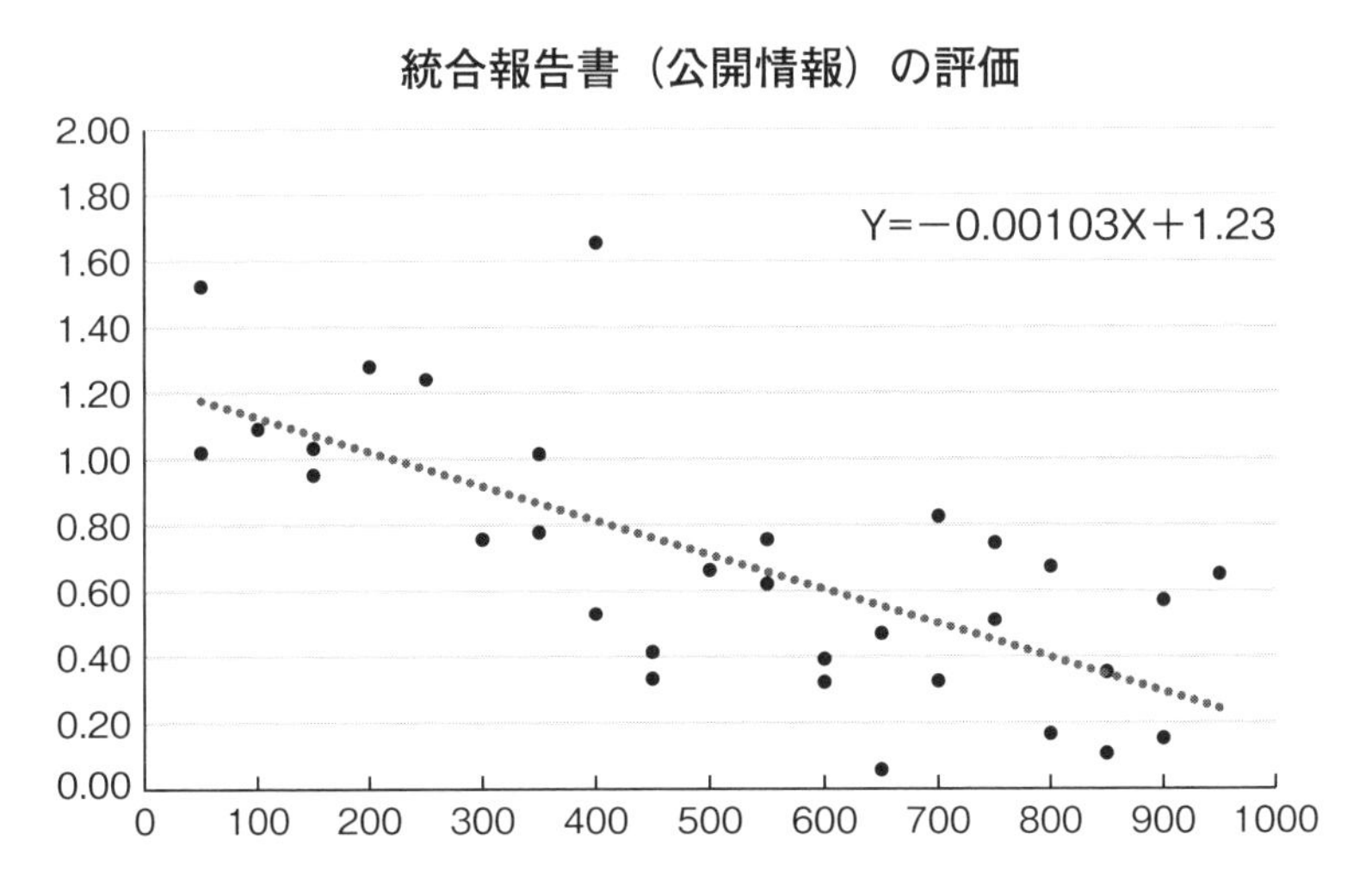

（注）横軸はプライム市場の時価総額の順位（50社単位で集合した点）
縦軸は判定基準（◎4.5点、○3点、△1点、×0点）の平均値

評価の平均値を表している。垂線上に2つの点がある場合は、2社の調査会社が分析をした結果を示している。点線が点の散布の傾向を示す回帰直線だ。これをみると「時価総額上位の企業は、CG報告書でも統合報告書でも、知財・無形資産に関する開示を適切に実施している」という傾向が明確に分かる。

一方、PBRや営業利益率による分析では違う様相もみえてきた。PBRが0・5以上0・8未満の企業の層が統合報告書などの評価点が最も高い一方、PBRが1・0を超える企業の層では評価点が下がる傾向がみられた（図表30上のグラフ）。営業利益率で見た場合も、5%以上10%未満の企業が評価点が最も高い一方、10%以上になると評価点が下がったのだ（図表30下のグラフ）。なぜ財務成績の良い企業群の方に、評価点が厳しく出たのだろうか。

同報告は「業種によって情報開示の姿勢に違いがあるため」と結論付けている。図表31のグラフが「知財・無形資産に関する情報開示に関する業種別評価」であり、「製造業は比較的評価が高い」ことと「非製造業は比較的評価が低い」ことが明白に出ている。日本では高度成長期から特許出願などに力を入れてきた製造業は感覚として知財・無形資産を重視しがちなのに対して、非製造業は必ずしもそうではないということだろう。

報告が調査対象企業の中でPBRが3・0以上の業種を調べたところ、比較的多かったのが情報・通信業（38社）、小売業（23社）、サービス業（44社）であり、いずれも非製造業だった。営業利益率が比較的高いのも非製造業だった。非製造業でも人材、ブランドや信用といった広い意味での知財・無形資産がとても重要であるにもかかわらず、それら非製造業では知

図表30　PBR、営業利益率と、知財・無形資産の情報開示の関係

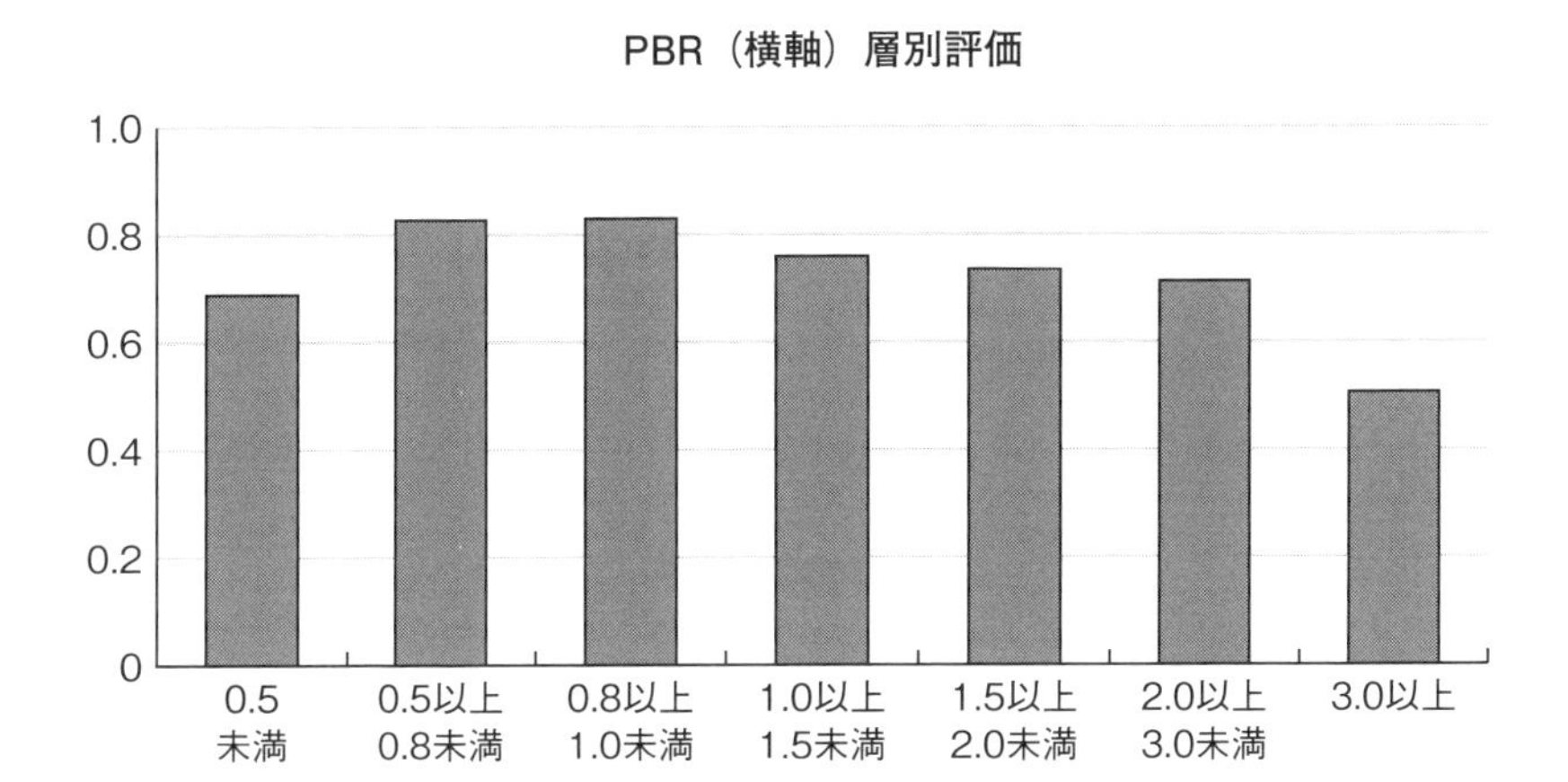

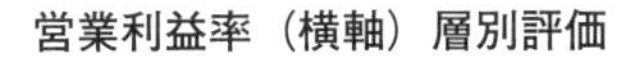

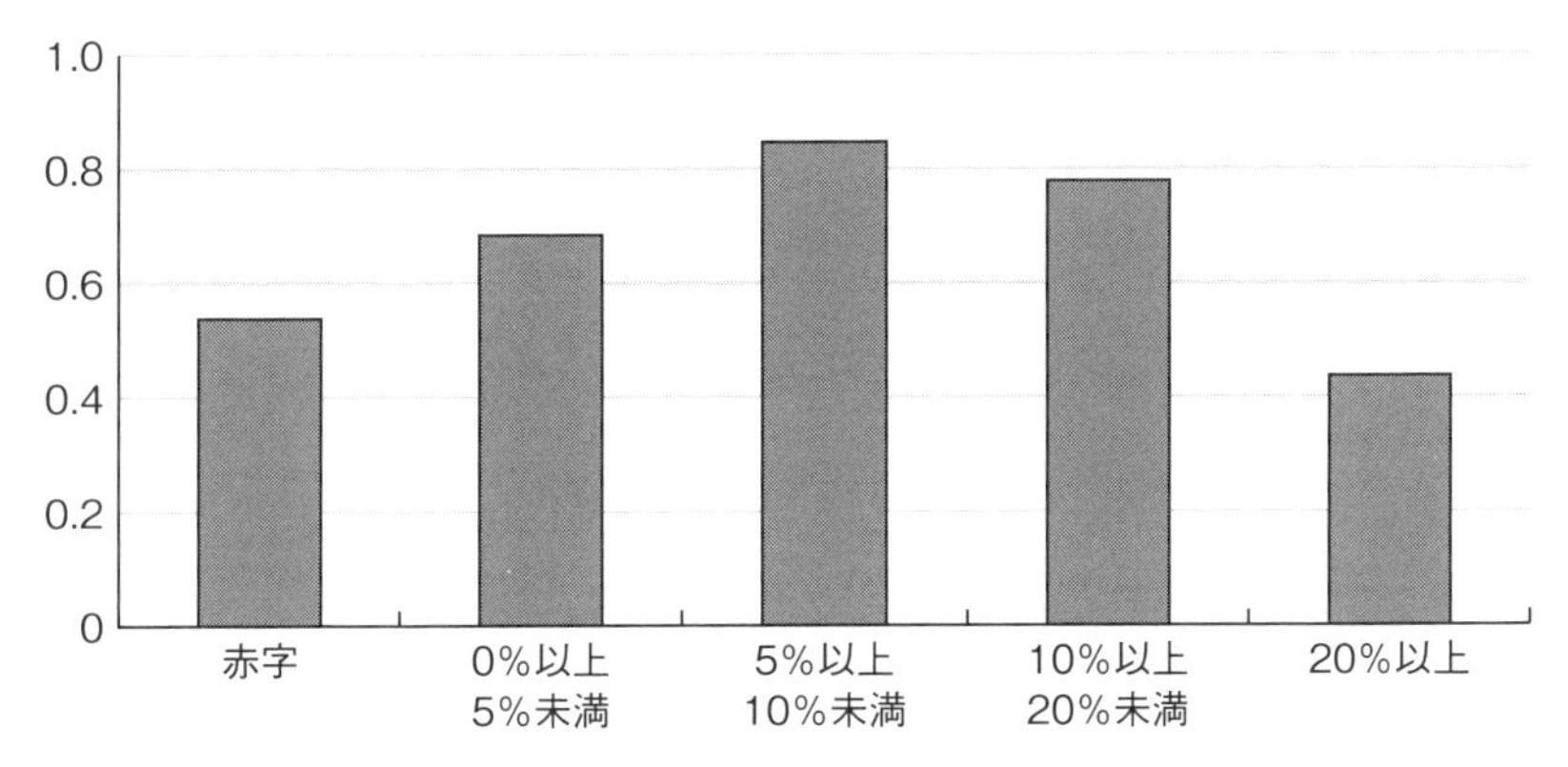

（注）縦軸は判定基準（◎4.5点、○3点、△1点、×0点）の平均値
（出所）知財ガバナンス研究会　知財コンサル等分科会

図表31　業種別、知財・無形資産の情報開示に対する評価

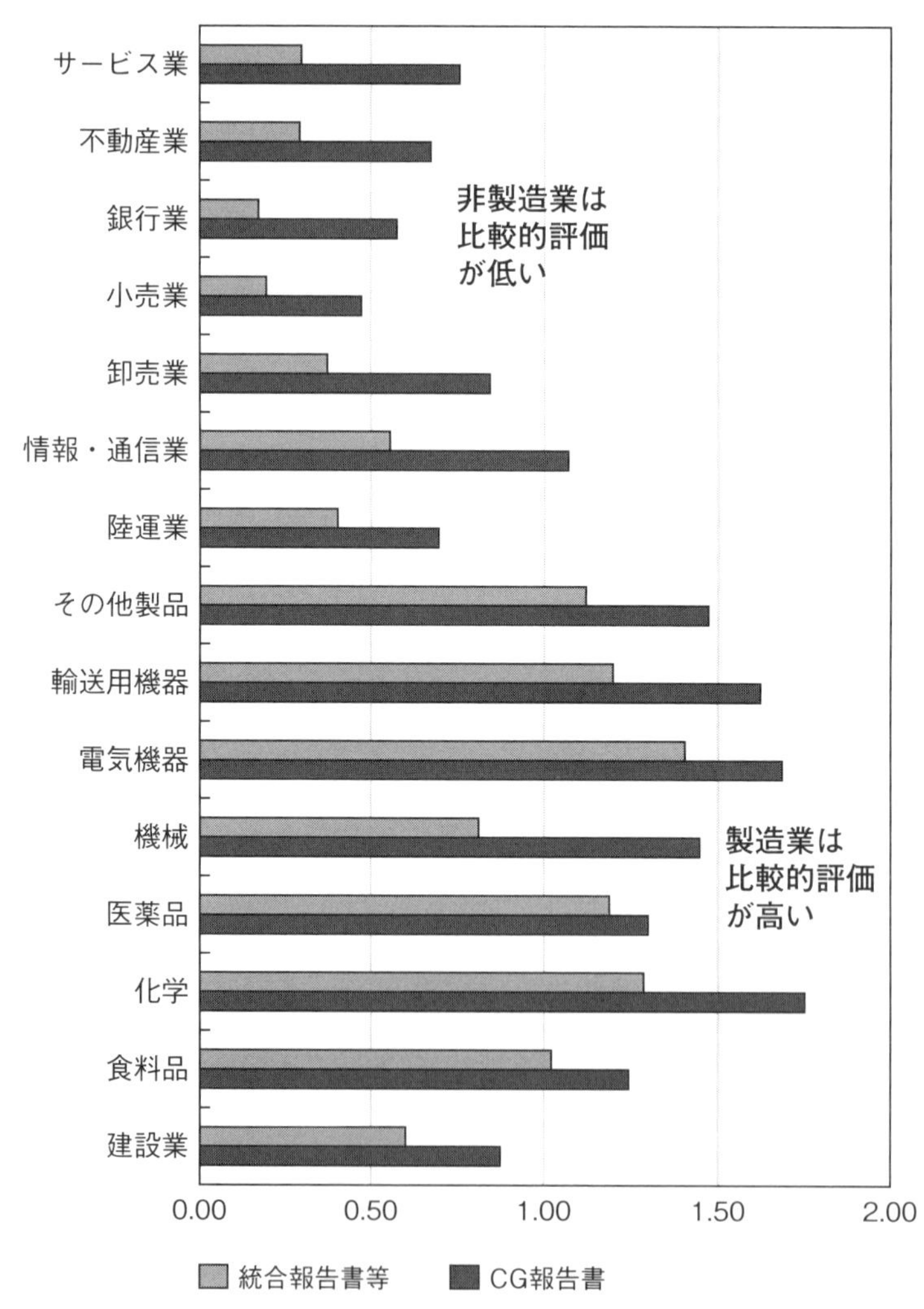

（注）縦軸は判定基準（◎4.5点、○3点、△1点、×0点）の平均値
（出所）知財ガバナンス研究会　知財コンサル等分科会

財・無形資産の情報開示に消極的（自分たちの業界が知財・無形資産を豊富に所有していることは無自覚）で、それが財務成績の良好な企業群の評価を下げているのだ。

この報告により、時価総額が高い企業は知財・無形資産の情報開示にも積極的であることが明らかになった。一方、無形資産は非製造業でも重要であるにもかかわらず、非製造業においては無形資産の情報開示が進んでいない（図表31）。前向きにとらえれば、伸びしろがあるともいえる。製造業、非製造業にかかわらず、知財・無形資産の積極的な開示に取り組むことで、日本企業全体のさらなる価値向上につなげてほしいと思う。

「企業と投資家にはズレがある」

シン・知財指針の指摘

内閣府知的財産戦略推進事務局は２０２３年３月、企業が知的財産や無形資産への投資や活用を通じて成長することを促す「知財・無形資産ガバナンスガイドライン　バージョン２・０」を公表した。２０２２年1月に出した第1弾が、知財・無形資産の活用で欧米や中国に後れを取った企業に「喝」を入れることが主眼だったのに対し、第2弾である「シン・知財指針」は、知財を巡る企業と投資家との思考のズレを指摘し、対話を促したのが特徴だといえる。

知財・無形資産ガバナンスガイドラインとは、２０２1年6月に改訂されたコーポレートガバナンス・コードに知財に関する内容が盛り込まれたことを受け、内閣府と経済産業省が共同で立ち上げた検討会が策定した指針だ。コードは「上場企業は知財などへの投資について分かりやすく開示すべき」「（上場会社の）取締役会は知財の投資・活用などを実効的に監督すべき」と促したが、総花的で抽象的な表現であることは否めず、企業は具体的にどうしたらいいのか、戸惑う声もあったからだ。

２０２２年の第1弾指針は「５つの原則」を掲げ、日本企業に喝を入れた。知財・無形資産の投資・活用について、①「ゲームチェンジ」「価格決定力」につなげよ②「費用」ではなく「投資」ととらえよ③会社ぐるみで取り組むガバナンス体制を築け④戦略の開示は「ストーリー（筋道）」や「ロジック（論理）」を整え、説得力を高めろ⑤機関投資家や金融機関も企業の取り組みを中長期の視点で評価してほしい――の５つだった。

情報開示の動き受け「第2弾指針」

この第1弾指針やガバナンス・コードを意識し、上場企業には知財・無形資産の投資・活用戦略を真剣に考え、情報を開示する動きが確かに出てきた。その開示を巡って機関投資家との間でも意見交換が進み始めた。「そうした中で新たな課題がみえてきた」と知財事務局の官僚は説明した。第2弾「シン・知財指針」には、その対応を盛り込んだのだ。

課題の第1は、知財・無形資産を扱う際の「企業と投資家との思考のギャップ」だった。一言でいうと、企業側が知財・無形資産を単体、あるいは現在の事業上の価値と考えがちであるのに対し、投資家や金融機関はあくまでも財務的、あるいは将来の企業価値を高める手段としてとらえるところからギャップが生じるというのだ。

例えば、財務上のインパクト（売上・利益）に対する意識の違い。企業は自社には「優れた知財・無形資産」があると言うが、それらがもたらす財務上のインパクトは仮説を含めて示すことはなかった。一方、投資家や金融機関が知りたいのは「将来のビジネスモデルなどの仮説に基づき、現在の知財・無形資産が、企業にいつ・どの程度の財務上のインパクトをもたらすのか」ということだ。

時間軸にもズレがある。企業は「現在の自社の技術や事業の強さ」を支える知財・無形資産を熱心に説明するが、これだけでは投資家にとってほとんど意味をもたない。この場合、知

図表32　企業と投資家を結びつける「コミュニケーション・フレームワーク」

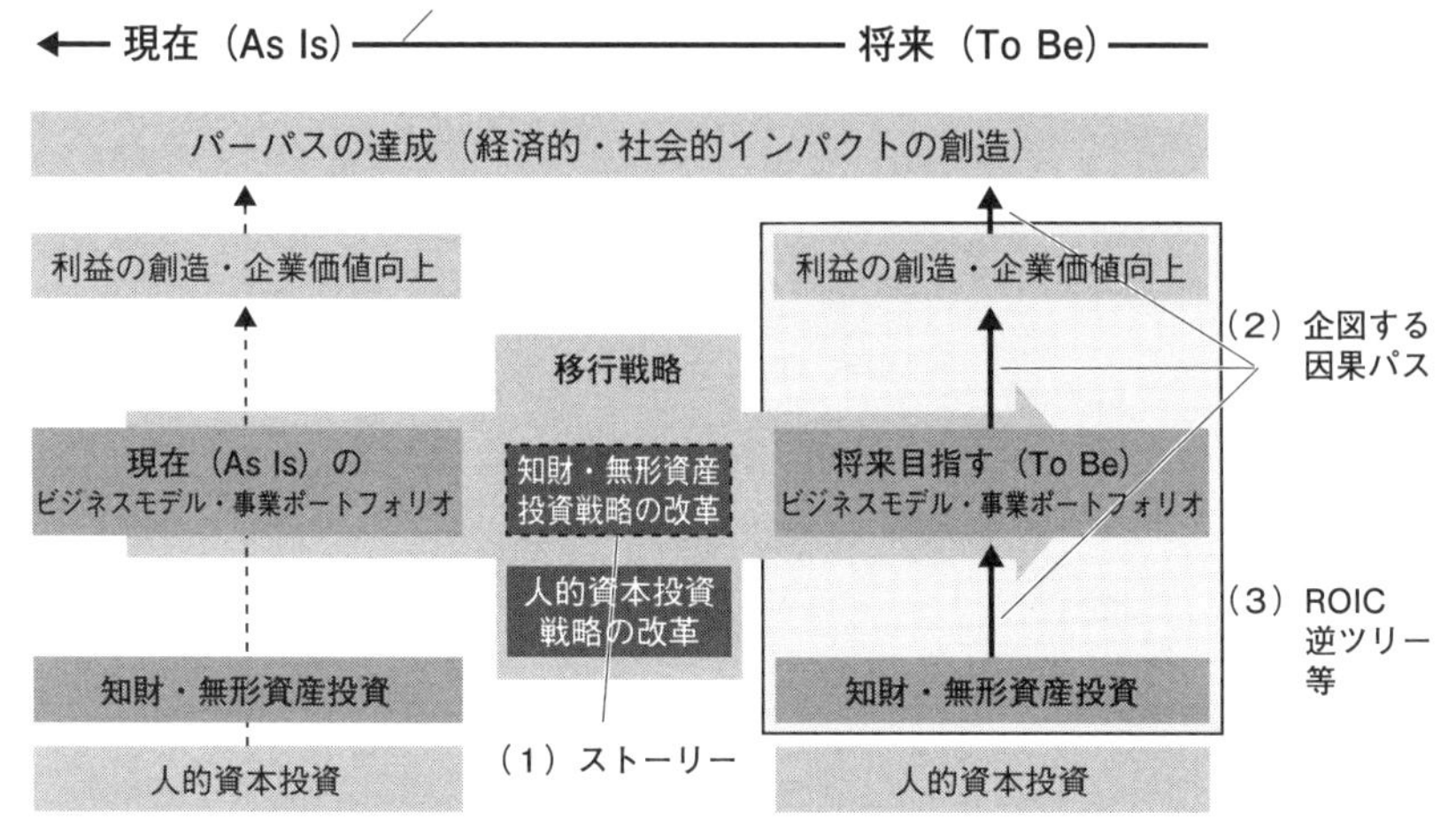

（出所）知財・無形資産ガバナンスガイドラインVer.2.0

財・無形資産は事業でもうけるための「コスト」になっているだけだからだ。むしろ投資家は、中長期に企業価値に結びつくと企業が想定している知財・無形資産に関心をもっている。

企業が投資家をよく知らない、という問題もある。企業は投資家を、ＩＲ部門が接触しているセルサイドアナリスト（証券会社などに所属する株を売る立場の証券アナリスト）のイメージでとらえがちだ。実際には、機関投資家などに所属して株を買い、運用しているバイサイドアナリストもいて、多様なのだ。投資の時間軸や戦略によって注目する情報もまちまちで、企業に個社レベルのみならず、「業種レベル」の競争力の説明などを求めることもあり得る。

そこで「シン・知財指針」では、この

「企業と投資家との思考のギャップ」を埋める手法を提案した。企業と投資家が共有できる「コミュニケーション・フレームワーク」（図表32）と名付けている。同フレームワークは３段階に分かれる。

知財と経営指標を結びつける3つの段階

第1段階は「ストーリー」を示すこと。企業は、将来の目指す姿「To Be」を描き、次に現在の姿「As Is」と比較し、足りない部分を埋める事業変革のひとつとして知財・無形資産の投資・活用戦略を位置づける、ということだ。知財・無形資産の投資・活用戦略を通じて、どのようにして目指すべき将来の姿を実現するのかがストーリーということになる。

第2段階は「因果パス」を示すこと。知財・無形資産の投資・活用が、資本効率を示すＲＯＩＣ（投下資本利益率）や成長期待を示すＰＥＲ（株価収益率）のような経営指標の改善につながることを説明する。例えば「製品・サービスの高利益率を実現するため、自社の知財・無形資産が、他社と、なぜ・どのように異なり、どんな時間軸で持続可能だから、競争優位なビジネスモデルを築ける」といった因果関係を説明するのだ。

政府検討会に参加する知財ガバナンス研究会が高収益企業として名高いキーエンスを取り上げ、以下のように分析している。「同社は最小の資本と人で最大の付加価値を上げるという経営方針を掲げ、顧客ニーズを確実にとらえ、徹底したデータ利活用、ナレッジの共有により競

図表33　オムロンが使う「ROIC逆ツリー」

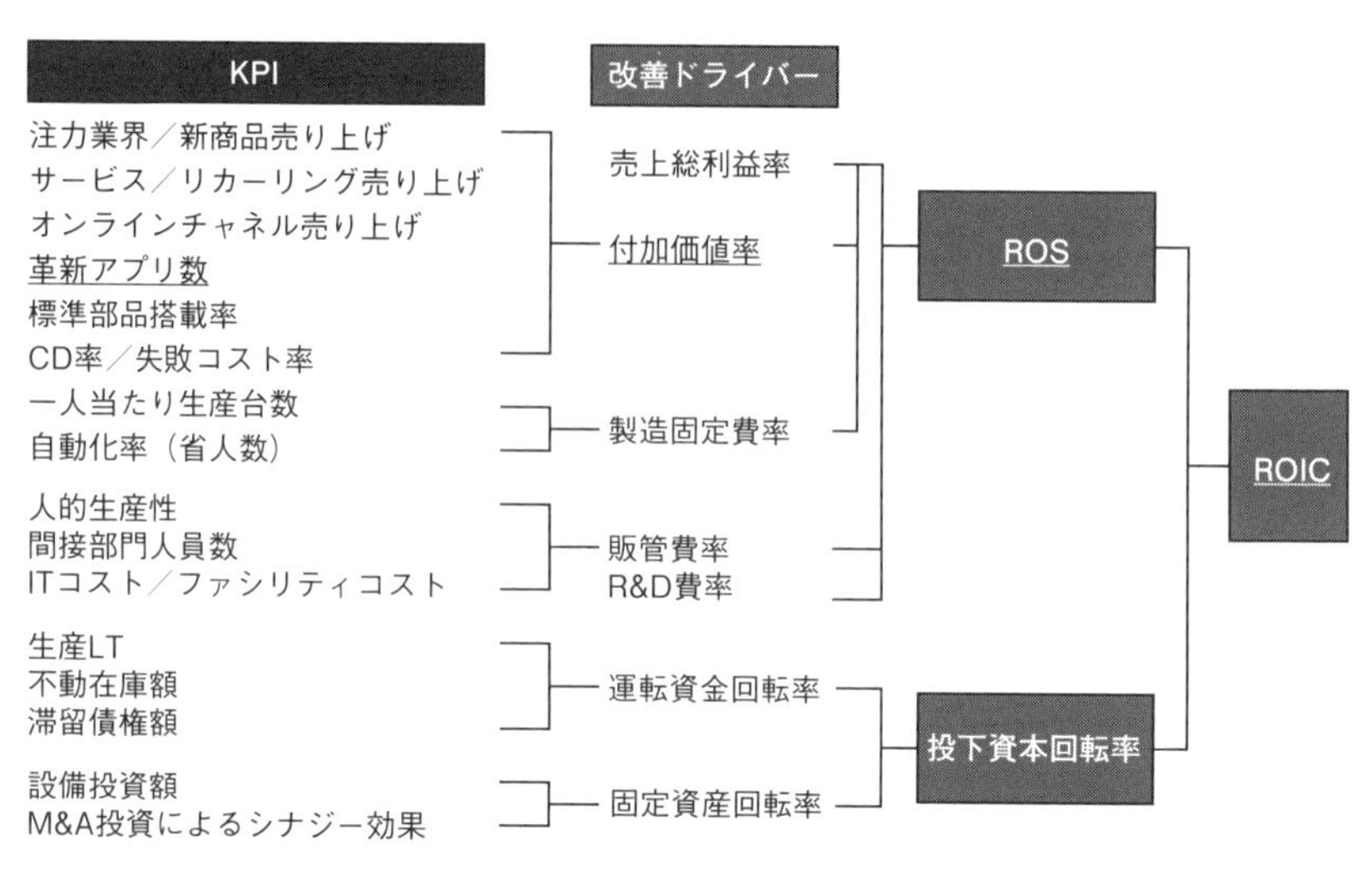

（注）ROIC：投下資本利益率。Return On Invested Capitalの略
（出所）知財・無形資産ガバナンスガイドラインVer.2.0

合との差別化を図ると共に、顧客満足度を向上させるビジネスモデルを得意としている。その結果、売上高、利益率、企業価値の向上を実現している」と同社を評価した。これが因果パスの一例といえる。

第３段階は「経営指標とひも付けた説明・対話」をすること。一例を挙げると、オムロンは「ＲＯＩＣ逆ツリー」という手法を情報開示に使っている。全社のＲＯＩＣの改善に必要と考える指標「改善ドライバー」と、現場の社員に日々の仕事で意識させる「ＫＰＩ（重要評価指標）」を、逆ツリー状の模式図（図表33）で説明している。

例えばＲＯＩＣを引き上げるための改善ドライバーとして「付加価値率」

を定め、付加価値率を高める手段のひとつとして「革新アプリ」（工場の生産ラインを動かすためのソフトウエア）を定め、どれだけ生み出したかを示す「革新アプリ数」を、従業員を評価するＫＰＩにしている。ＫＰＩが示されているため現場の社員は革新アプリの作成に力を入れるようになり、結果、全社のＲＯＩＣ向上につながることを示している。

投資家側にも説明を求める

このように「シン・知財指針」は、企業側が知財・無形資産の投資・活用の開示の工夫をすることにより、投資家との思考ギャップを解消することを提案しているが、投資家側にも注文を出すことを忘れてはいない。

例えば、保険会社や企業年金などのアセット・オーナーに対しては、①投資方針において中長期的視点をもつことを表明すること②資金運用会社がリソースやコストをかけて企業の知財・無形資産などへの中長期的な取り組みを評価する運用を行うことに理解を示し、そうした運用会社に適切な運用報酬を設計すること――を求めた。

さらに資金運用会社などのアセット・マネージャーに対しては、①企業を評価する上での思考構造やポイントを明らかにし、適切に説明すること②中長期的な視点をもち、知財・無形資産を生かし切る運用の設計や投資判断・エンゲージメント（企業との対話）を行うこと――を求めている。投資運用会社の「アクティブ」「クオンツ」「パッシブ」といった運用手法の違いに即しても、細かく期待するアクションを示した。「企業に説明を求めるなら、投資家も説明せよ」というわけだ。

このように「シン・知財指針」は、知財・無形資産を投資・運用する企業へのアドバイスをより具体的に示したのみならず、投資家側にも具体的な注文を出すことにより、以前よりバランスが取れた内容になったと評価できる。今後は指針の内容に対する企業や投資家の認知と対応をどのように広げ、企業の知財・無形資産の投資・活用をいかに活発にするかが課題となりそうだ。

経済安全保障が知財戦略にも影響

経済安全保障法の概要

半導体などのサプライチェーン（供給網）を国内で強化したり、基幹インフラを外国の脅威から守ったりするための経済安全保障推進法が2022年5月、成立した。中国やロシアなど強権主義国家との対立が深まる中、欧米にならった経済安保の法的な枠組みが整ったわけだが、日本企業の知的財産戦略への影響も無視できない。

2023年から段階的に施行された経済安保推進法のポイントを確認していこう。①重要物資のサプライチェーン強化、②基幹インフラの信頼性確保、③重要先端技術の開発推進、④特許の非公開制度――の4つだ。

1つめの「重要物資のサプライチェーン強化」は、国民の暮らしに欠かせない製品やサービスの供給が非常時に途絶えないようにすることを指す。政府は品目ごとに供給確保の計画を定め、企業の資金調達や備蓄を支援する。有事に海外から供給が途絶えても安定して物資を確保できる体制を整える。企業に協力の義務はなく、支援策の充実が課題になりそうだ。

安定供給を目指す製品やサービスを「特定重要物資」と呼ぶ。政府は2022年12月、半導体や蓄電池など11分野の指定を閣議決定した。ほかに指定したのは、永久磁石、重要鉱物、工作機械・産業用ロボット、航空機部品、クラウドプログラム、天然ガス、船舶の部品、抗菌薬、肥料の各分野だ。

2つめの「基幹インフラの信頼性確保」は、電力やガス、水道、金融機関など暮らしを支える重要なインフラは、他国からサイバー攻撃などを受ける恐れが高いため、設備の新設・更新時に政府が事前審査することを定めた。対象は14業種で、電気やガスなどのライフラインと、鉄道や航空などの輸送手段に大別され、推進法は「特定社会基盤事業者」と位置づけた。

３つめの「重要先端技術の開発推進」は、人工知能（ＡＩ）や量子といった先端技術を非常時でも使えるように他国に頼らないようにして、研究開発を資金と情報の両面から支える。自立型無人探査機や、ミサイルを音速の５倍以上で飛ばす極超音速技術などを「特定重要技術」と位置づける。対象となる企業などは国家公務員並みの守秘義務を求められる。

最後の「特許の非公開制度」は、知的財産権の代表といえる特許制度にかかわる改正である。特許の内容は原則、出願から1年半後に公開される。だから、その内容が他国によって兵器に転用されてしまう可能性も否定できない。そこで推進法は「特許非公開制度」を２０２４年５月までに設け、軍事転用可能な発明などは特許を認めず、公開しないようにするのだ。

まず特許庁が出願内容を審査する際、安全保障の懸念がある技術を抜き出し、それを内閣府が2次審査する。そこで問題とされたものは「保全指定」となり、特許は認められず、情報は公開されない。特許出願の取り下げや海外出願は禁じられ、その特許技術を使った製品を作ることも制限される。対象となる技術は政令で定めるが、特許と認められた場合に権利者が得られるはずだった利益をどう判定し、政府が補償するかが課題だ。

国が進める経済安全保障について、関連企業はどのように受け止め、どのように対応しているのだろうか。前述した「知財・無形資産 経営者フォーラム」の第2回定例会が２０２３年1月下旬にオンラインで開催され、登壇したキヤノンの長澤健一専務執行役員（当時）が興味深い話をしてくれた。長澤氏は経団連代表の有識者として推進法の制定にも関与した人物だ。

知財戦略の高度化が求められる時代に

キヤノンはプリンターやカメラで知られるが、実は「医療」「産業機械」を加えた４つの事業で、それぞれグローバルに約４兆円の売り上げがある。地域別だと日本、アジア・オセアニア、欧州（アフリカ・中近東含む）、南北アメリカの各市場がそれぞれ９０００億円弱～約１兆２０００億円と、やはりほぼ４等分され、「世界のどこかで何かが起きると必ず当社のビジネスに影響が出る」（長澤氏）という構造になっている。

それだけに同社は経済安全保障の法制化に迅速に対応し、２０２２年1月に「経済安全保障統括室」を設けた。長澤氏が室長に就き、知財、法務、調達、情報通信、サステナビリティ、人事、渉外などを担当する執行役員、部長クラスがメンバーとなった。同室創設のきっかけは、米国と中国とのハイテク摩擦の深刻化だったが、創設直後に起きたロシアによるウクライナ侵攻も含めて、情報収集・集約にあたったという。

講演で特にキヤノンの長澤氏が指摘したのは、特許の非公開制度が、企業の既存の知財戦略に与える影響だった。第1に、非公開にされる技術は当面、「出願特許全体からみれば、わずかな割合になりそう」ということだった。現在、日本で出願される特許は年間およそ30万件だが、新制度で非公開とされるのは約30件程度だという。つまり1万件に1件の確率であり、かなり確立は低いといえる。

図表34　「知財・無形資産 経営者フォーラム」でのディスカッションのようす

（注）上がキヤノン専務執行役員の長澤健一氏、下は古河電気工業社長の小林敬一氏。2023年１月

この30件程度には、純粋な軍事技術である「シングルユース」と、「デュアルユース」と呼ばれる軍事転用可能な民間技術を合わせた数を想定しているようだ。新制度で技術を非公開とされてしまうと、保有企業は特許にして稼ぐ道を封じられてしまう。推進法の目的に「産業振興と機微情報の流出防止の両立」と書かれており、「なんでもかんでも非公開」ではなく、「非常に機微な技術」に限ることは重要といえる。

例えばデュアルユースの場合、製品を解析したりリバースエンジニアリングしたりすれば分かってしまう技術を非公開とすると、弊害が生じかねない。その技術を解析した他国によって特許出願されてしまい、「原産国」である日本企業が、逆に技術供与を強制されたり差し止め請求されたりする危険が生じるからだ。長澤氏によると、推進法の制定過程でデュアルユースについては、外から解析できない技術などに限って非公開制度の対象にするよう求めたとのことだった。

第2には、特許の非公開制度を企業が積極的に活用できる可能性もあることだ。これまで企業は大事な技術について、特許出願するか、出願せずに営業秘密として社内で秘匿するかの二者択一を迫られていた。今回、そこに「特許出願し、非公開ながら一種の権利として国に認めてもらって補償金を受け取りつつ、日本や同盟国でその技術を使ってもらう」という選択肢が加わったことになる。

この特許の非公開制度は、すでに米国が「秘密特許制度」として運用している。日米が交わしている知財法の協定によって日米の特許非公開制度をリンクさせれば、大きな軍事産業の市場が開け、日本企業が技術を秘密特許化するインセンティブが高まる、とキヤノンの長澤氏は講演で述べた。特許非公開制度の日米連携について、政府に交渉に入るよう要請しているとのことだった。

長澤氏の講演後、フォーラム参加企業から質問が相次いだ。フォーラム副会長を務める古河電気工業の小林敬一社長（当時）は「キヤノンの安保統括室は特許出願国を発明内容に照らしてチェックしているのか」とただしたのに対し、長澤氏は「個別の特許について判断するのは知財部門、非公開制度の使い方についてアイデアを考えるのは事業部門などだが、推進法の基本や制限については、統括室を通じて情報共有している」と答えた（図表34）。

同じくナブテスコの木村和正社長は「ある技術について特許の公開、非公開の判断が、技術革新などによって変化することはないのか」と質問。長澤氏は「当初は非公開となった技術が後に公開と切り替わることはあり得る。企業は定期的に判断を見直すことが重要だと思う」とコメントした。「経済安全保障と知財戦略」という、新しくも奥の深いテーマが始まった。すでに一定の知財戦略を打ち立てた企業であっても、さらなる戦略の高度化が迫られる時代になったことは間違いない。

新冷戦は「日本の逆襲・復活」への大チャンス

米国と台湾・中国との連携が不可能に

著者（渋谷）は米中対立が決定的となった２０１９年、知的財産、経済安全保障の問題にそれぞれ詳しい東京大学の渡部俊也教授へのインタビューで聞いた言葉が忘れられない。「米中新冷戦による日本経済への影響は」と聞いた私に対し、渡部氏は「（新冷戦は）日本にとっては幸運だ」とコメントしたのだ。

米中新冷戦は安保面やリスク管理面、日本の最大貿易国である中国との通商面における悪影響を中心に考えていた私にとって、渡部教授のコメントは意外だった。答えを聞いて、いぶかる私に対し、渡部教授は「少なくとも知財の世界で日本にとって最も困るのは（これまでの30年間のように）米国と中国がガッチリ手を組み続けること。そうなったら日本は終わっていた」と話したのだ。

この見解はどういうことか、少し解説が必要かもしれない。本書の第1部や第2部で紹介してきた通り、台湾、中国の製造企業は、１９９０年代からインテルやアップルなど米先進企業が推し進めた「攻めのオープンな知財戦略」のパートナーとして機能してきた。これら米先進企業は、１９８０年代まで絶好調だった日本の電機・半導体に対抗するため、台湾企業や台湾企業の中国拠点をフルに活用して、多大の成果を上げてきた。

具体的には、米先進企業は自社の強みを知財として徹底的に守る（クローズ戦略）一方で、台湾や中国の製造業に有益な一部の知財を提供することで、共存共栄の戦略的提携関係を築いた（オープン戦略）。米企業は企画、研究・開発に特化し、製造は台湾・中国企業に任せる「オープン＆クローズ戦略」（本書では「攻めのオープンな知財戦略」）を実行した。この戦略によって米企業は知財で稼ぎ、台湾・中国企業は圧倒的な低コスト、製造ノウハウを武器に製品シェアを奪うことができたのだ。

このとき草刈り場とされたのが、日本の電機・半導体産業だった。米企業の優れた知財・ビジネスモデルと、台湾・中国企業の低コスト製造力の組み合わせによって、１９９０年代から日本の電機・半導体は競争力を失い、パソコン、薄型テレビ、半導体などの分野で次々に敗退、撤退を続けていった。日本の「失われた30年」は、知財戦略の観点でみると、まさに米国と台湾・中国の連携でもたらされたのだといえる。

しかし、米中の新冷戦、経済安全保障の時代が到来し、特にハイテク分野のサプライチェーン（供給網）分断によって、日本を30年間苦しめてきた米国と台湾・中国との戦略的連携は不可能となった。そして相対的に地政学上、恵まれた環境といえる日本が、再び米国など西側先進企業の有力なパートナーとして選ばれることになった。このように考えると「新冷戦と経済安全保障の時代」の到来は、少なくとも日本の産業競争力にとって想定外の幸運であり、「神風」以外の何物でもないだろう。

環境変化だけに頼ってはいけない

心配なこともある。最近の環境変化をみて、「これで日本の『失われた30年』は終わった」とか「もう大丈夫だ」と楽観的に受け止める日本企業の経営者、ビジネスパーソンが少なくないのではないか、ということだ。考えてみてほしい。日本の１９９０年代前半から今日までの「失われた30年」は決して自然に発生した天災ではなかった。１９８０年代に日本との競争で苦戦した米企業が必死で知財戦略を生み出し、台湾・中国などアジア企業を巻き込んだ経営変革の結果であり、人為的で必然的な結果だったのだ。

日本企業が、米中新冷戦と経済安全保障によって生じた「新たな環境」を歓迎して受け入れているだけでは、日本経済の再興は一時的なものになってしまうだろう。半導体など欧米の先進企業がすでに描いているであろう「新たな知財戦略」を推測・分析し、その上を行く日本企業ならではの知財・無形資産経営の戦略、具体策を構築する必要がある。そのために欠かせないのが、本書が提案する「攻めのオープンな知財戦略」だ。「攻めのオープンな知財戦略」に取り組み、経営に反映させることこそ、今回の日本にとってのチャンスを生かすことにつながると確信する。読者である各経営者、各企業人の自覚と実行力に期待している。

林力一（はやし・りきかず）

戦略コンサルティング会社 プリンシパル

同志社大学工学部卒業、同志社大学工学修士。
日立製作所、トヨタ自動車、三菱重工業、LIXILのグローバル知的財産部長、
モニターデロイトなどを経て、現在、東京知財経営コンサルティング（TIPC）代表弁理士、
戦略コンサルティング会社プリンシパル。企業知財実務に加え、様々な業界で、
経営戦略（中長期計画、ビジョン、事業ポートフォーリオ評価）、
事業開発、プラットフォーム戦略、エコシステム戦略、戦略的提携・M&A戦略、
ビジネス/技術・知財デューディリジェンスなどを行う。
MBA、法学士、弁理士、Franklin Pierce Center for IP（Summer School）

渋谷高弘（しぶや・たかひろ）

日本経済新聞社　編集委員

早稲田大学法学部卒業、一橋大学大学院国際企業戦略研究科修了。
青色発光ダイオード特許訴訟を追跡するなど知財・法務分野の取材・報道経験25年超。
2021年にコーポレートガバナンス・コードに、いわゆる知財条項を盛り込むことに成功した。
2022年、大手企業50社以上の経営者らが集う「知財・無形資産 経営者フォーラム」の
立ち上げに関与し、同フォーラムのアドバイザーなども務める。
主な著書に『特許は会社のものか』『中韓産業スパイ』、共著に『IPランドスケープ経営戦略』
『サステナビリティ・ガバナンス改革』（いずれも日本経済新聞出版）などがある。

戦略コンサルが知らない **最強の知財経営**

2024年5月24日　1版1刷

著　者 ―――― 林力一　渋谷高弘

発行者 ―――― 中川ヒロミ

発　行 ―――― 株式会社日経BP
日本経済新聞出版

発　売 ―――― 株式会社日経BPマーケティング
〒105-8308　東京都港区虎ノ門4-3-12

装　幀 ―――― 野網雄太（野網デザイン事務所）

印刷・製本 ―――― 三松堂株式会社

ISBN978-4-296-11826-7　Printed in Japan

本書籍に関するお問い合わせ、ご連絡は下記にて承ります。
https://nkbp.jp/booksQA